NEW
서울대 선정
인문고전
60선

50
헤겔 역사철학 강의

NEW 서울대 선정 인문 고전 ㊿

만화 헤겔 **역사철학 강의**

개정 1판 1쇄 인쇄 | 2019. 8. 14
개정 1판 1쇄 발행 | 2019. 8. 21

심옥숙 글 | 배광선 그림 | 손영운 기획

발행처 김영사 | 발행인 고세규
등록번호 제 406-2003-036호 | 등록일자 1979. 5. 17.
주소 경기도 파주시 문발로 197 (우10881)
전화 마케팅부 031-955-3100 | 편집부 031-955-3113~20 | 팩스 031-955-3111

값은 표지에 있습니다.
ISBN 978-89-349-9475-6
ISBN 978-89-349-9425-1 (세트)

좋은 독자가 좋은 책을 만듭니다. 김영사는 독자 여러분의 의견에 항상 귀 기울이고 있습니다.
독자의견전화 031-955-3139 | 전자우편 book@gimmyoung.com
홈페이지 www.gimmyoungjr.com | 어린이들의 책놀이터 cafe.naver.com/gimmyoungjr

이 도서의 국립중앙도서관 출판예정도서목록(CIP)은 서지정보유통지원시스템 홈페이지(http://seoji.nl.go.kr)와
국가자료종합목록시스템(http://www.nl.go.kr/kolisnet)에서 이용하실 수 있습니다. (CIP제어번호 : CIP2018042974)

어린이제품 안전특별법에 의한 표시사항
제품명 도서 제조년월일 2019년 8월 21일 제조사명 김영사 주소 10881 경기도 파주시 문발로 197
전화번호 031-955-3100 제조국명 대한민국 ⚠주의 책 모서리에 찍히거나 책장에 베이지 않게 조심하세요.

미래의 글로벌 리더들이 꼭 읽어야 할 인문고전을 만화로 만나다

NEW 서울대 선정 인문고전 60선

50

헤겔 역사철학 강의

심옥숙 글 · 배광선 그림

주니어김영사

'서울대 선정 인문고전 50선'이 국민 만화책이 되기를 바라며

40여 년 전, 제가 살던 동네 골목 어귀에는 아이들에게 만화책을 빌려 주는 가게가 있었습니다. 땅바닥에 검정색 비닐을 깔고 그 위에 아이들이 좋아하는 만화책을 늘어놓았는데, 1원을 내면 낡은 만화책 한 권을 빌릴 수 있었지요. 저는 그곳에서 처음으로 만화책을 접했고, 만화책을 보면서 한글을 깨쳤습니다. 어쩌면 그때 저는 만화가 가진 힘을 깨쳤다고 할 수 있습니다.

이렇게 만화책으로 시작한 책과의 인연으로 저는 책을 좋아하게 되었고, 중학교 때는 도서반장을 맡게 되었습니다. 약 10만 권의 장서를 자랑하는 학교 도서관을 매일 밤 10시까지 지키면서 참 많은 책을 읽었습니다.

또래의 아이들이 지겹게만 여기던 헤밍웨이의 《노인과 바다》를 두 손에 땀을 쥐며 네 번이나 읽었습니다. 또한 헤르만 헤세의 《데미안》을 읽으며 질풍노도의 시절을 달랬고, 김래성의 《청춘 극장》을 밤새워 읽느라고 중간고사를 망치기도 했습니다.

당시 저의 꿈은 아주 큰 도서관을 운영하는 사람이 되어 하루 종일 책을 보면서 사람들에게 필요한 책을 쓰는 작가가 되는 것이었습니다. 이제 저는 한 가지 더 큰 꿈을 가지려고 합니다. 그것은 우리나라의 아이들이 꿈과 위로를 얻고, 나아가 인생을 성찰하게 해 줄 수 있는 멋진 만화책을 만드는 일입니다.

'서울대 선정 인문고전 50선'은 서울대학교 교수님들이 추천한 청소년들이 꼭 읽어야 할 동서양 고전 중에서 50권을 골라 만화로 만든 것입니다. 이 책들은 그야말로 인류 문화의 금자탑이라고 할 수 있는 것이지만, 사실 제목만 알고 있을 뿐 쉽사리 읽을 엄두가 나지 않는 책들입니다.

　　그것을 수십 명의 중·고등학교 선생님들과 전공 학자들이 밑글을 쓰고, 또 수십 명의 만화가들이 고민에 고민을 거듭하여 쉽고 재미있게, 그러면서도 원서의 내용을 정확하게 전달할 수 있도록 노력하여 만들었습니다.

　　그래서 '서울대 선정 인문고전 50선'이 어린이와 청소년뿐만 아니라 부모님들이 함께 봐도 좋을 만화책이라고 자부합니다. 국민 배우, 국민 가수가 있듯이 만화로 읽는 '서울대 선정 인문고전 50선'이 '국민 만화책'이 되길 큰마음으로 바랍니다.

손영운

역사를 만들어가는
진짜 주인공에 관한 이야기,《역사철학 강의》

독일 철학자 헤겔이 쓴《역사철학 강의》는 고전 중에 고전으로 꼽히는 책이지만, 잘 읽히지 않는 책으로도 유명합니다. 헤겔의 다른 모든 책들이 이해하기 어렵다고 소문난 것처럼, 이《역사철학 강의》도 매우 난해할 것이라는 생각 때문입니다. 그러나 사실 알고 보면, 이 책은 소문처럼 그렇게 '까칠한 책'은 아닙니다. 오히려 헤겔의 책들 가운데 가장 읽기 쉬운 책으로 알려져 있습니다. 게다가 이번에 '서울대 선정 만화 인문고전 50선'을 통해 알찬 내용을 담은 흥미진진한 만화로 나오게 되었으니, 이제《역사철학 강의》를 읽는 일은 더욱 신나고 재미있는 일이 되었습니다.

헤겔은《역사철학 강의》에서 과거에 일어났던 사건이나 기록에 대해서는 말하지 않았습니다. 헤겔이 관심을 가지며 연구하고 주장한 것은 역사를 움직이는 힘, 다시 말하면 역사의 주인공, 그리고 역사가 움직이는 방법과 방향을 밝혀내는 것이었습니다. 그래서 헤겔은 세계 역사를 말하면서도 어느 나라에서 무슨 일이 일어났으며, 누가 어떤 업적을 남겼고, 어떤 사람들이 어떻게 살았는가에 대해서는 관심을 갖지 않았습니다. 그는 오직 역사는 어떻게 진행되어 왔고, 앞으로 어떻게 될 것이며, 역사의 주인은 어떻게 자신의 목적을 이루어 나가는가에 대한 문제에 집중했습니다. 이러한 이유에서 책 이름 역시 단순히 '역사 강의'가 아니라, '역사 철학 강의'라고 한 것입니다.

　헤겔에 따르면 역사의 주인공은 뛰어난 영웅이나 천재도 아니고, 우리가 알고 있는 왕들도 아닙니다. 역사의 주인은 바로 '정신'입니다. 정신은 자유를 완전하게 실현하기 위한 목적을 가지고, 여러 가지 고난과 불행을 극복하면서 자신의 길을 간다는 것입니다. 때로는 개인들의 욕심과 이기심이 앞서서 역사가 정말 발전하는 것일까 하는 생각이 들만큼 실망스럽고, 또 때로는 수많은 사람들의 희생으로 좌절감이 들기도 하지만, 결국 역사는 이성의 힘으로 앞으로 나가면서 자신의 '꿈'을 완성한다고 헤겔은 말합니다. 그래서 헤겔이 말하는 역사는 이미 일어났던 사건들의 나열이 아니고, 사람이 주체적으로 현재의 상황을 극복하면서 앞으로 나가는 발전하는 역사입니다.

　이 책은 철학자 헤겔에 관한 이야기로 시작해, 《역사철학 강의》에서 나오는 중요한 개념들을 알기 쉽게 풀어 이야기 형식으로 구성한 것입니다. 그러나 이 책에서 헤겔이 말하는 정신과 자유, 의지, 열정, 이성의 간지奸智 등은 비단 《역사철학 강의》를 이해하는 데에만 필요한 개념들이 아닙니다. 헤겔의 사상을 알기 위해 꼭 알고 넘어가야 할 것들이며, 또 현대 사상에 주춧돌이 되는 것들입니다.

　자, 이제 서양의 모든 철학은 헤겔에게로 흘러들어 갔다가, 다시 헤겔에게서 흘러나왔다고 해서 '서양철학의 풀(Pool)'이라고 부르는 헤겔의 역사철학을 재미있는 만화로 읽으며 세계의 역사를 움직이는 진정한 주인공을 만나보기 바랍니다.

　좋은 책이 나오도록 수고를 아끼지 않은 주니어김영사의 모든 분들에게 감사를 드립니다.

심옥숙

역사 속 '이성'의 숨겨진 역할을 알아봐요

역사는 유기체입니다. 유기체라는 말은 각 부분이 일정한 목적 아래 통일, 조직되어 부분과 전체가 필연적 관계를 가지는 조직체를 말합니다. 또는 살아 있는 생명체를 말하기도 합니다. 역사는 독특하게 이 두 가지 의미를 다 포함하고 있습니다. 우연히 발생했다고 생각하는 일도 사실은 그 안에 필연적으로 발생할 수밖에 없는 관계로 묶여 있습니다. 그리고 살아 있는 생명체처럼 자라고 변하며 발전합니다. 이렇게 역사를 이끄는 것은 바로 '정신'입니다. 정신은 자유를 갈망하며 매번 자신과의 싸움[성찰]을 통해 발전합니다. 역사를 이끄는 정신이 발전하기 때문에 역사 또한 발전할 수밖에 없습니다. 이 정신을 우리는 '이성'이라 부릅니다. 이성은 시간이 지나도 변하지 않는 절대진리입니다. 역사 속에 숨어 역사를 이끌고 있는 이 절대진리와 이성을 찾는 학문이 바로 역사철학입니다.

역사의 발전은 자유의 성취가 얼마나 이뤄졌는지로 판단할 수 있습니다. 그리고 자유의 성취를 위해 절대정신인 이성은 인간을 '사용'합니다. 그렇게 '사용된' 그들을 우리는 세계사적인 인물, 영웅 등으로 부릅니다. 이들을 통해 역사는 정체하지 않고 자유를 향해 변해갑니다. 동양시대, 그리스시대, 로마시대, 게르만시대를 거쳐 자유는 그렇게 완성되어 갔습니다.

우리가 현실을 살아가면서 누리는 자유도 사실은 우연히 그렇게 된 것이 아니라 역사 속 이성이 노력하고 발전해 이루어진 것입니다. 이성의 노력이 없었다면 우리 중 누군가는 노예로 사는 사람도 있을 것입니다. 이것을 생각하면 가슴을 쓸어내리며 안도하게 됩니다.

이렇게 역사 속 이성의 활약이 있는 역사철학의 세계로 지금 들어가 볼까요?

| 차 례 |

기획에 부쳐 04

머리말 06

제 1 장 《역사철학 강의》는 어떤 책일까? 12

제 2 장 헤겔은 누구인가? 32

제 3 장 헤겔 이전의 역사철학자 – 칸트와 헤르더 60

제 4 장 이성과 자유 108

제 5 장 자유 실현의 수단들 140

제 6 장 자유가 실현된 모습과 세계 역사 164

《역사철학 강의》 깊이 읽기

칸트의 비판철학과 국제연맹 210

피히테의 〈독일국민에게 고함〉 213

조숙한 천재, 셸링의 동일철학 216

사랑하고 고통 받도록 태어난 지상의 아들, 시인 횔덜린 219

헤겔의 영원한 경쟁자, 쇼펜하우어 222

나폴레옹에 관한 이야기 225

헤겔 철학의 후계자들 228

제1장 《역사철학 강의》는 어떤 책일까?

안녕? 나는 《역사철학 강의》라는 책을 낸 간스라고 해.

안녕하세요! 간스 아저씨~!

아저씨, 《역사철학 강의》는 어떤 책인가요?

음, 내용에 대해 말하기 전에 우선 이 책이 어떤 책인지 알아볼까?

역사철학 강의

여러분이 존경하는 역사의 영웅에는 누가 있을까?

저는 이순신 장군!

저는 전봉준 장군이요!

그런데 이분들이

이봐, 너는 저쪽을 쓸고 너는 이쪽 바닥을 닦아!

정신

나는야, 녹두 장군~

큰 빗자루 옆에 차고 깊은 시름에 잠겨 바닥을 쓸고 있나니.

으윽, 뭔가 이상해!

사실을 '이성의 도구' 또는 '정신의 심부름꾼'이라고 한다면 여러분들은 어떻게 생각할까?

이러한 영웅들이 자신의 능력과 의지로 역사상 위대한 영웅이 된 것이 아니고,

청소 다했으면 이제 너희들은 전쟁에 나가도록 해라!

네! 알겠습니다.

정신

또한 자신의 정신이 아닌 누군가(역사의 정신)가 그렇게 하라고 명령을 내렸기 때문에 적과 싸우고, 농민을 위해서 앞장섰다고 한다면?

콰쾅

에이, 그게 뭐예요!

맞아! 누가 시켜서 그분들이 영웅이 되었다고요?

하하!

그런데 정말 이렇게 말한 사람이 있어!

누가요?

바로 독일의 유명한 철학자 헤겔이야. 그는 이런 말을 《역사철학 강의》에서 했단다.

안녕, 나는 헤겔이라고 해!

이 책은 제목에서 알 수 있듯

역사철학 강의

처음에는 대학에서 강의를 하기 위해 쓴 것이었어.

오늘은 이렇게 강의해야겠어.

하지만 책이 되어서 세상에 나오게 된 것은 저자가 이미 고인이 된 후 한참 뒤의 일이란다.

헤겔은 1822년에서 1831년 사이에 독일의 수도 베를린에 있는

베를린

베를린대학에서 격년으로 역사철학에 대한 강의를 했는데,

역사철학 강의를 맡은 헤겔입니다.

이 책은, 헤겔의 강의를 들었던 많은 사람들이 필기한 노트 중에서

가장 잘 정리된 것을 나, 에두아르트 간스(Eduard Gans)가 종합한 것이야.

첫날 강의 정리가 가장 잘 됐군.

따라서 《역사철학 강의》는 헤겔이 직접 쓴 것이 아니고, 여러 자료를 참고한 책이기 때문에

읽고 이해하기가 쉬운 반면,

음, 이런 내용이구나. 이해가 잘 되는걸.

나도 같이 보자꾸나!

헤겔이 말한 것과는 거리가 있을 수도 있지.

내가 한 얘기는 이것과는 거리가 먼데!

네?

그렇게 해서 1837년에 《역사철학 강의》라는 책이 세상의 빛을 보게 되었어.

아무튼 우선 한 권의 책으로 만들어 내는 것이 중요한 일이었다고.

간스는 하이델베르크대학에서 헤겔로부터 직접 수업을 받았으며,

헤겔의 철학을 잘 아는 가장 가까운 친구 중에 한 사람이기도 했지.

그러니 간스가 헤겔이 강의한 《역사철학 강의》만이 아니라 《법철학》까지도 책으로 묶어낸 것은 당연한 일이지?

당연히 내가 할 일이지!

역사철학 강의

법철학

헤겔의 영향을 크게 받고 발전시킨 제자들을 헤겔학파라고 하는데

우리는 헤겔학파!

간스는 여기에서 핵심적인 역할을 했고, 그 당시 독일 지식인들에게 많은 영향을 주었단다.

그런데 이 책이 탄생하게 되기까지의 이야기는 여기서 끝이 아니란다.

또 무슨 일이 있었는데요?

헤겔에게는 훌륭한 제자 말고도 칼(Karl Hegel)이라는 아들이 있었거든.

안녕! 나는 칼이라고 해.

안녕!

근데 헤겔에게 아들이 있다는 게 뭐 그리 신기한 일인가요?

하긴 아버지에게 아들이 있다는 게 어떻게 보면 당연한 일이지.

반가워!

그런데 철학자들 사이에서는 좀 달랐단다.

왜요?

늘 부인의 잔소리에 시달렸다는 소크라테스의 이야기는 예외로 하고,

돈도 못 벌어오면서 무슨 철학을 논해요?

빽~

서양의 유명한 철학자들은 대부분 결혼을 하지 않은 채 독신으로 일생을 살았거든.

스르

그러니까 철학자에게 아들이 있고,

오오~

하하….

그 아들이 이미 제자에 의해 출판된 아버지의 책을

이건 뭔가 부족한데….

다시 손봐서 출판하는 일이 흔한 일은 아니지.

이 책에서 부족한 부분을 보충해 다시 출판 했으면 합니다.

뒤에서 자세히 이야기하겠지만 칼은, 헤겔이 뉘른베르크에서 인문 고등학교 교장으로 있으면서

흠, 오늘 조회 말씀은 5분만 하지요~!

그럼 50분은 하겠군!

으아, 죽었다.

그 지방의 명망 높은 집안의 딸과 결혼하고

안정적인 생활을 시작할 때 태어난 큰아들이야.

네 이름은 외할아버지의 이름을 따서 칼이다.

칼 또한 아버지 헤겔처럼 역사학자의 길을 갔는데

1840년에 《역사철학 강의》를 다시 출판했지.

자, 개정판이야.

역사철학 강의

칼은 아버지의 제자인 간스가 낸 책이

내가 낸 책에 무슨 문제가 있다고 그러나?

흠.

한쪽으로 치우친 내용이 있다고 주장을 했단다.

간스, 당신은 주로 후반기 강의에 치중해서 책을 냈어요.

그 이유는 후반기 강의가 더 인기 있었기 때문이죠.

그, 그런!

그래서 칼은 헤겔의 모든 강의 내용을 조화롭게 다룬 책을 내기 위해 더 보충할 것은 보충해서 새롭게 책을 낸 것이란다.

음, 이건 이런 설명이 더 필요하겠어.

칼의 생각에는, 먼저 나온 책이 이해하기는 조금 더 쉬울 수 있지만,

아버지 헤겔이 《역사철학 강의》를 통해 말하려고 한 중요한 것을 소홀히 다뤘다고 본 것이지.

책에서 중요한 것은 바로 본질이지.

헤겔은 직접적인 역사 이야기보다는

지금 이 수업은 역사 시간이 아닙니다.

역사에 대한 철학적인 내용을 강의하는 것이 목적이라고 말한 것처럼!

우리는 지금 역사 속에 있는 철학을 찾아 볼 것입니다.

역사적 사건이 아닌, 역사를 이끌어 가는 것이 무엇이고, 역사가 나아가는 방향이 무엇인가를 밝혀내고 싶어했는데,

이랴!

역사

덜컹
덜컹

칼은 이 부분이 첫 번째 책에서는 미흡했다고 본 거란다.

이제 제가 왜 책을 다시 냈는지 아시겠지요?

흠, 알겠네.

칼 생각에는 헤겔이 《역사철학 강의》를 하는 동안 중요한 변화를 보였다는 거야. 그의 말을 잠시 들어볼까?

1822년에서 1823년 사이에 하신 강의에서 아버지는 주로 역사적인 일보다는 철학적이고 개념적인 문제에 관심을 두셨어.

역사의 핵심과 각 민족의 영혼을 좌우하는 것이 무엇인지를 설명하려고 하셨기 때문이야.

역사 속에 있는 중요한 무언가를 찾고 싶어!

그러다가 점차 역사적인 자료를 더 많이 다루게 되면서 좀 더 이해하기가 쉬워졌지.

오오, 그런 일이 있었구나.

이렇게 아버지의 강의는 모든 부분이 서로가 서로를 보충하는 관계를 맺고 있어.

이렇게 해서 《역사철학 강의》는 두 번에 걸쳐 출판되었단다.

그렇군요!

자, 여기까지가 책이 나오게 된 배경이야. 그럼 이제부터 본격적으로 책에 관한 이야기를 시작해 볼까?

네!

헤겔이라는 철학자는 누구이고,

내가 누구게?

헉!

책 제목은 역사면 역사고, 철학이면 철학이지 왜 역사와 철학을 함께 붙여서

합체!

역사

철학

듣기만 해도 심각할 정도로 어렵게 만들었냐고?

역사철학

흠, 중요한 질문이라는 것을 인정할 수밖에 없군.

역사철학

왜냐하면 바로 그 제목에 우리가 살펴보려고 하는 책의 핵심적 의미가 담겨 있거든.

책 제목에

핵심적인 의미가 담겨 있다고요?

이 중요한 것을 먼저 알아보려면 우선 첫 번째 질문은 조금 뒤로 미루고,

책 제목을 역사철학으로 한 이유는?

자, 이 질문은 나중에 다시 얘기하고~

이렇게 해보면 어떨까? 우선 역사와 철학을 나누어서 생각해 보자.

역사

철학

복잡한 것은 단순하게 만들어 생각해 보면 쉽게 답을 찾을 수 있다고 데카르트라는 철학자가 말했지.

나는 생각한다. 고로 나는 존재한다.

프랑스의 철학자·수학자· 물리학자. 근대철학의 아버지라 불리는 데카르트의 형이상학적 사색은 방법적 회의(懷疑)에서 출발한다.

그럼 함께 생각해 볼까? 먼저 역사의 의미는 무엇일까?

음!

역사란 이미 일어난 과거의 일을 기록한 것?

에이, 그게 아니라…

오~ 아주 훌륭한 설명이야.

저, 저도 그렇게 말하려고 했어요.

그게 아니라며~!

그렇지. 역사는 과거에 있었던 많은 사건들을 기록으로 남겨 놓은 것이지.

그러니까 아직 일어나지 않은 미래의 일은 역사라고 말할 수 없어

일어날지 안 일어날지 모르는 미래를 기록할 수도 없고요.

음!

그런데 과거에 있었던 모든 일들을 기록할 수는 없잖아?

으아, 사건이 너무 많아서 다 기록할 수가 없어!

어쩔 수 없이 중요하다고 여겨지는 것만을 골라서 기록할 수밖에 없지 않겠어?

음, 이제는 역사를 기록할 수 있겠는걸.

그렇다면 그 많은 사건들 중에 누가 어떤 기준으로 중요한 것과 중요하지 않은 것을 골라내고 기록하는 것일까?

근데 어떤 게 중요한 거야?

이렇게 생각해 보면 역사는 두 가지 뜻이 있단다.

하나는 과거에 실제로 일어났던 사건들 자체를 가리키는 것이고,

다른 하나는 과거에 일어난 사건의 의미를 인식하고 기록으로 남기는 것을 말해.

오늘 나는 달리기를 했다. 비록 1등은 못했지만….

다시 말하면 역사에는 객관적 역사와 주관적 역사가 있는 것이지.

하지만….

객관적 역사
주관적 역사

이 둘은 완전히 분리해서 볼 수는 없어.

객관적 역사
주관적 역사

왜냐하면 역사가가 기록으로 남기지 않는다면

몰라, 귀찮아!

사람들은 과거에 무슨 일이 있었는지 알 수 없고,

어? 이 시대에는 별일 없었나? 건너뛰어 있네.

반면에 실제로 일어난 일이 없다면 기록을 남길 수 있는 근거도 없으니까 말이야.

무슨 일이 일어났어야 기록을 하지.

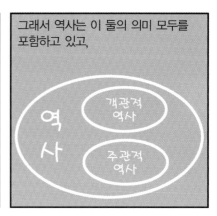

그래서 역사는 이 둘의 의미 모두를 포함하고 있고,

역사

객관적 역사

주관적 역사

과거와 현재가 만나서 이루어진 것이라고 보아야 옳단다.

우리 오늘 역사를 이룹시다!

과거 현재

다음으로 철학은 어떤 의미를 가지고 있을까?

윽, 철학은 골치 아프게 하는 단어예요.

하하! 많은 사람들이 그렇게 생각하지. 그런데 그 뜻을 알고 나면 너무나 간단하고 쉬운 것에 놀랄 거야.

정말요?

철학을 어렵고 복잡하게 생각하지만,

철학은 생각만 해도 어려워!

사실은 철학이야말로 혼란스러워 보이는 사물과 세계를

제대로 알아보자는 생각에서 나온 것이란다.

이 혼란스러워 보이는 세계를 정리 해야겠어.

철학이라는 말의 뜻은 진리에 대한 사랑, 또는 근본에 대해 이치에 맞는 합리적인 생각을 하는 것이기 때문에,

철학은 진리를 탐구하는 학문이란다.

철학을 배운다거나 철학을 한다는 것은

이제부터 철학을 공부해야 겠어.

복잡하게 얽혀 움직이는 세계의 근본원리와 질서를 깨닫는 것이지.

아… 세계는 이런 원리로 움직이고 있구나.

자, 이제는 서로 분리해서 생각해 본 두 개념을

역사
철학

다시 결합시켜 보면

우리가 알려고 했던 것의 답을 찾을 수가 있겠지?

네!

슈욱

역사철학이란 역사의 생성, 역사의 발전과 역사의 의미를 어떻게 인식하고 기록할 것인가에 대해 연구하는 것이라고 말할 수 있을 거야.

이 많은 역사들이 의미하는 것을 찾아 해석하고 어떻게 기록할 것인가를 연구하는 것, 그것이 바로 역사철학이지.

그럼 왜 역사철학이란 학문이 중요한 것일까?

글쎄요….

우리는 단순히 과거의 이야기를 알기 위해 역사를 배우는 것이 아니고,

과거를 통해서 잘못된 것을 깨닫고 다시 그런 실수를 하지 않기 위해서죠.

잘했던 것은 교훈으로 삼고요.

그렇단다! 우리는 더 나은 현재와 미래를 위해 역사를 배우는 것이지.

이제 역사철학이 단순히 역사만을 뜻하는 것이 아니라는 것을 알게 됐을 거야.

역사철학은 굉장히 중요한 학문이네요.

정말 그래.

사람들은 헤겔만큼 역사와 철학을 잘 결합하고 통일한 사람이 없다고들 한다.

엣헴. 내가 좀 대단하지.

철학자인 헤겔은 역사를 철학과 관계 깊은 중요한 문제로 생각했어.

역사와 철학은 서로 깊은 관계가 있어.

그래서 헤겔의 《역사철학 강의》는 역사책이라기보다는 철학책으로 보아야 해.

철학코너

정부론 역사철학 존재와시간

헤겔이 관심을 가진 것은 누가 어디서 무슨 일을 하고,

와아~~~

어떤 왕이 몇 년에 죽고 하는 식의 하나하나의 역사적 사실이나 사건이 아니야.

루이16세를 죽여라!

죽여라!

나는 사건들에 대해서는 관심 없어.

그러한 역사의 사건, 예를 들면 그리스 시대, 로마 시대, 또는 프랑스혁명 등

그리스시대 로마시대 프랑스혁

각 나라의 역사적 사실들이 가지는 의미는 무엇이고, 그러한 역사적 사건들을 만들어 내고 역사를 움직이는 근본원리는 무엇일까? 하는 것이었지.

와아- 와아 와아

흠, 프랑스혁명이 발생하게 된 이유는 무엇일까? 근본원리가 있는 걸까?

그러니까 헤겔은 역사적 사실들은 사람들의 눈에 보이는 대상이지만,

그 뒤에는 보이지 않는 어떤 원리가 있다고 생각하면서

프랑스혁명은 과도한 세금 부과가 원인이었군!

그 원리를 밝혀내는 것을 이 《역사철학 강의》의 목적으로 세운 것이란다.

그래서 사람들은 헤겔의 이러한 역사철학을 헤겔 철학을 이해하기 위한 중심원리이며, 헤겔이 주장하는 철학 전체의 기반이라고 말하기도 한단다!

사건들이 발생하는 원리를 찾는 것, 그것을 중심으로 내 강의를 들으면 돼.

왜냐하면 헤겔의 철학적인 생각들이 역사적으로 있었던 구체적인 사실들과 서로 깊게 연관되어 설명되기 때문이지.

헤겔의 철학

역사적 사실

이러한 뜻에서 헤겔은 자신의 역사철학에 대해 이렇게 말했어.

여러분! 이 강의의 대상은 철학적 세계사입니다. 다시 말해 이 강의는 단순히 역사에 대한 일반적인 반성이 아니라, 세계사, 그 자체입니다.

이 말의 의미는, 세계사는 아무 뜻 없이 진행하는 것이 아니고,

세계사

논리적이고 합리적으로, 다시 말하면 철학적 이유를 가지고 나아간다는 것이지.

내가 이렇게 걷는 데에는 다 이유가 있어.

세계사

그러니까 헤겔에 의하면 역사적인 어떤 사건이 일어났다면 아무 이유 없이 그렇게 된 것이 아니고,

의도하는 것이 있기 때문에 그렇게 된 것이라는 의미지.

십자군전쟁을 통해 교황권을 강화하고

영토를 확장하기 위한 거야.

앞서 말한 것처럼 《역사철학 강의》는…

처음에 대학에서 수업을 하기 위한 것이었기 때문에

강의 방식으로 되어 있어.

사실 헤겔의 철학은 상당히 어렵고 복잡한 것으로 알려져 있지.

오늘 수업은 이것으로 마치겠습니다.

그래서 강의가 끝나면

…

학생들은 남아서 강의내용을 서로 이야기하고 자신이 제대로 이해한 것인지 확인해보면서

교수님이 하신 말씀이 이런 뜻 아냐?

그건 아닌 거 같은데….

끝내 알 수 없는 것은

도저히 결론이 안 나겠다.

교수님께 여쭤보자!

그래!

다시 한 번 물어 보곤 했는데

그러면 헤겔은 이렇게 말하곤 했단다.

아니야, 그게 아니야. 나의 철학은 나를 제외하고는 아무도 몰라.

헉!

그렇지만 《역사철학 강의》는 보통 사람들이 쉽게 이해할 수 있도록

이 책을 보면 우리도 무슨 말인지 알겠어요.

다양한 역사적 사건들을 바탕으로 흥미 있게 구성되었지.

와아~

책의 짜임새는

서론
제1부 동양세계
제2부 그리스세계
제3부 로마세계
제4부 게르만세계

서론에서 역사의 종류를
세 가지로 나누어 설명하고
있어.

서론
1)근본적인 역사
2)반성적인 역사
3)철학적인 역사

이 서론을 통해 세계의 역사를 지배하는
것은 다름 아닌 정신, 이성이라고 말해.

이것을 헤겔의 유명한 말로
표현하면 이렇지.

역사는 절대정신이
자기 자신을 펼쳐나가는
과정이고, 절대정신이
살고 있는 집입니다.

그래서 서론은 이 책의
내용을 이해하는 데
대단히 중요한 부분이야.

서론
1)근본적인 역사
2)반성적인 역사
3)철학적인 역사

음….

왜냐하면 《역사철학 강의》에서 가장
중요한 개념은 절대정신과 이성
그리고 자유인데,

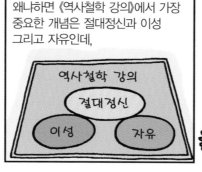

역사철학 강의

절대정신

이성   자유

서론에서
이 개념들을
중심으로
설명하고 있거든.

서론이 정말
중요하네요.

절대정신의 개념은 《역사철학 강의》
에서 뿐만 아니라, 헤겔의 사상에서
핵심이라고 말할 수 있어.

내 철학의
핵심이야.

절대정신

세계사의 발전과 완성은
이 절대정신에 달려
있다고 생각해.

절대정신

절대정신이 자기 자신을 다 펼쳐서
완성될 때, 세계의 역사도 완성된다는
의미지.

세계 역사의
완성은 나에게
달렸지.

세계의 역사

다시 말하면 절대정신이 완전한 자유에 도달해서,

완전한 자유

자유가 실제적으로 이루어지면 역사도 완성된다는 뜻이야.

이제 역사가 완성되었도다! 하하하하!

완전한 자유

척

무슨 말인지 잘 모르겠어….

절대정신이라는 말이 상당히 어렵게 들리지?

네, 어려워요!

음, 이렇게 생각해 보자.

이 정신이라는 것은 '잘못한 것을 반성하는 능력'으로

어제 왜 거짓말을 했을까?

우리는 누구나 가지고 있지.

정신   정신

정신은 인간만이 가지고 있는 특징이야.

개나 볼펜에게는 정신이 없잖아.

멍!

그래서 우리가 실수를 하거나, 어이없는 사고를 치면

우악, 여행 지도를 놓고 왔어!

뭐야?

이렇게 말하는 거지.

너, 정신을 어디에다 둔 거니? 아주 정신이 나갔구나!

꿍.

그런데 헤겔이 말하는 절대정신은 우리들 한 사람 한 사람의 정신이 아니란다.

절대정신이란 그렇게 작은 의미가 아니야.

예를 들면 철수라는 아이의 정신, 길동이라는 아이의 정신이 아닌 거야.

철수의 정신 ≠ ≠ 길동의 정신

절대정신

인류의 역사를 이끌어 가는 주인인 절대정신이라는 것은

으랏차!

절 절

인류의 역사

하나의 원리와 같은 거야.

또는 하나의 논리라고 할 수도 있어.

그래서 한 사람이나 한 민족의 정신과는 달리,

일본은 사무라이 정신!

조선은 선비정신!

미국은 개척정신!

상태와 조건에 따라서 달라지는 정신이 아니란다.

한마디로 절대적이라는 거지!

절대정신

누가 뭐라고 해도 자신의 목표를 가지고 자기 길을 가는 것이 절대정신이지.

이봐, 사무라이 정신으로 가는 게 어때?

개척정신을 가지고 여기 숲으로 가는 게 더 좋아.

예를 갖추고 걷지그래!

슈욱

아, 전 저만의 방법으로 갈게요.

절대정신은 보편적이고 자유롭다는 의미를 포함하고 있지.

보편성

자유

그래서 사람이 정신에게 이래라 저래라 명령하는 것이 아니고,

이봐 정신, 너 청소 좀 해.

싫어!

정신

오히려 사람이 정신의 대리자이거나 심부름꾼일 뿐이라는 것이 헤겔의 생각이란다.

네가 해!

아, 알았어.

그래서 역사에 등장하는 영웅들은 이러한 정신의 명령을 실천하는 사람들이라는 것이지.

이봐, 너희는 이제 나라와 백성을 구하는 거야. 알았어?

네, 맡겨만 주십시오.

정신

그런 뜻에서 헤겔은 나폴레옹을 '말을 탄 정신'이라고 한 거야.

저기, 말을 탄 세계정신이 간다!

제1부에서 4부까지는 이러한 절대정신이

누, 누구냐?

어떻게 역사 속에서 자신의 모습을 드러내고,

이 몸은 절대정신이시다!

척

오오~!

또 어떻게 변화하고 발전해 왔는가를 보여주고 있어.

뭔가 변화 되었는걸.

뭐, 발전된 모습이랄까?

제1부에서는 중국, 인도, 페르시아 등 여러 나라의 예를 근거로,

이때는 아직 정신이 자유를 누리지 못하는 단계로, 사람에 빗대어 어린아이라고 말하고 있어.

응애~

왜냐하면 이러한 나라에서는 왕 단 한 사람만이 자유를 누리기 때문이지.

짐만이 자유롭도다!

만세 만세, 왕 만세!

제2부인 그리스와 제3부 로마에서는 몇몇 사람들이 자유를 누리면서 역사는 조금 더 발전하는데,

이 시기를 역사의 청년기와 성년기에 비유하지.

그리스, 로마의 역사를 통해 내가 성장한 것을 알 수 있어.

그리고 마지막으로 게르만 세계는

여기서 게르만은 독일뿐 아니라 스칸디나비아, 네덜란드, 심지어 영국까지 통틀어서 포함하는 말이야.

종교개혁으로 정신의 본성을 회복해 완성된 역사를 갖는다고 했어.

종교개혁을 통해 사람들은 자유로운 정신의 활동에 따라 행동하게 되었지.

게르만 세계는 정신의 노년기에 해당하지만,

이제 할아버지가 되었군요.

에구, 허리야!

이 노년기는 쇠퇴해서 무력해지는 시기를 뜻하는 것이 아니고,

이런 의미가 아니야.

!

정신이 완전한 성숙 단계에 이르러 자기 자신을 마침내 완성하는 때를 말한단다.

지금의 나는 완전한 모습이랄까?

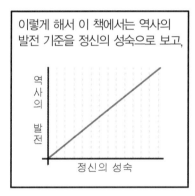

이렇게 해서 이 책에서는 역사의 발전 기준을 정신의 성숙으로 보고,

역사의 발전

정신의 성숙

얼마나 많은 사람들이 자유를 누리느냐 하는 것에 따라 정신의 성숙을 판단하고 있어.

이곳의 정신은 많이 성숙해 있군.

당연히 역사도 발전해 있겠어.

한 사람이 자유롭고 편한 생활을 하기 위해서

음, 오늘은 어딜 놀러 갈까?

수많은 사람이 노예생활을 하는 세계는

웃차!

역사가 미숙하고 정신이 자기 자신을 발전시키지 못하는 나라이지.

흥, 성숙하지 못한 역사야.

모든 사람들이 자유를 누리는 세계야말로 세계 역사가 목적하는 것으로 보는 헤겔은

자신의 이러한 역사철학을 《역사철학 강의》에서 체계적으로 주장하고 있어.

역사의 목적에 대해 하나하나 알아봅시다.

다시 말하면 《역사철학 강의》는 역사가 자연처럼 단순히 때가 되면

싹이 나고 꽃을 피우고 열매를 맺는 것과 같은 반복적인 행위를 하지 않고,

사람이 의지를 가지고 계속해서 성장하고 발전해가는 것으로 보고 있지.

좀 더 나은 내가 되겠어.

물론 이러한 역사철학에 대해 '역사가 언제나 체계적이고 원인과 결과의 관계로 설명할 수 있을까?' 하는 점에서

역사는 언제나 체계적입니다. 또한 반드시 인과관계로 설명할 수 있습니다.

음….

모든 사람들이 찬성하는 것은 아니란다.

나는 반대일세. 그렇지 않은 경우도 있지 않겠나?

역사와 정신의 개념을 결합하면서

크로스!

그러나 헤겔의 이러한 사상은 당시 상황에 깊은 영향을 주었고,

하지만 저는 헤겔의 생각에 동의합니다.

저도 그렇게 생각합니다.

역사에 대한 인간의 책임과 의무를 강조함으로써 근대국가에 대한 이념을 깊게 했어.

나라가 성숙하기 위해서는 역사를 알고 그 시대를 알아야 합니다.

역사의 주인인 정신은 자신의 의지와 목표를 가지고 스스로 자연 상태에서 벗어나 역사를 창조해 나가는데

나는 멋지고 자유로운 역사를 창조해 내겠어.

비비디 바비디 부~

이 말은 두 가지의 뜻을 가진단다.

앗! 어떤 의미요?

하나는 정신이 역사를 발전시킨다는 것이고,

멋진 역사로 만들어야지.

또 다른 하나는 정신이 스스로 자신을 완성해 나간다는 것이지.

완성되어질수록 나도 점점 변하는 것 같아.

이러한 역사 발전 과정은 국가 형태와 국가의 제도, 법률 등으로 나타난다고 하는 것이 헤겔의 생각이란다.

그러니까 국민이 얼마만큼이나 자유를 누리고,

사회는 얼마나 좋은 제도를 바탕으로 하고,

할머니, 정부에서 생활보조금이 나왔어요.

이렇게 고마울 데가….

또 국민들은 얼마나 성숙한 도덕적 생활을 하느냐가 곧 역사 발전의 기준이지.

다시 말하면 국가는 국민을 잘 보호하고 국민은 국가와 공동체의 이익을 위해 개인의 이익을 양보한다면 그만큼 절대정신이 발전한 나라라고 할 수 있을 거야.

헤겔은 독일을 그런 나라라고 보았단다. 그러면 대한민국은 어떤 나라일까?

제2장 헤겔은 누구인가?

어린 헤겔

《역사철학 강의》라는 아주 훌륭한 책을 남긴 헤겔은 어떤 사람일까?

내가 궁금해?

헤겔은 다른 사람이 흉내 내기 어려운 사상과 많은 저서를 통해

그의 이름은 마치 철학의 대명사처럼 여겨질 정도야.

철학하면 헤겔이지.

그럼!

물론이지!

또 어렵기로도 아주 유명해서

그런데 너무 어렵다.

무슨 말이지?

여러 사람들이 헤겔에 대해 많은 말들을 남겼단다.

뭐라고 했는데요?

헤겔을 연구한다는 것은 거대한 얼음과 만년설 앞에서와 같은 지긋지긋한 일이다.

헤겔을 이해한다는 것은 불가능하다.

헤겔은 철두철미하게 신비하다.

마치 철과 돌덩어리로 된 단단한 산과도 같이!

이 말은 헤겔이 정말 무슨 산이라는 것이 아니고, 헤겔의 생각을 이해하는 것은

어디, 헤겔의 생각을 알아볼까?

마치 철과 돌덩어리로 된 산을 넘기보다 더 험난하고 어렵다는 뜻이지.

으아, 힘들어!

또 어떤 사람은 헤겔 철학의 위대함에 대해 이렇게 말했지.

헤겔 연구가들이 한 헤겔에 대한 설명은 《성경》에 대한 주석처럼 다양하다.

그런데 이러한 이야기들을 생각해 보면,

흠~ 가만있자.

그저 헤겔이 어려운 철학만을 주장하고 어려운 말들만 남겼다기보다는

헤겔 이후에 그를 뛰어넘는 철학자가 없었다는 증거이기도 하지 않을까?

으윽, 못 넘겠어!

미끌

많은 사람들이 헤겔에 대해 어렵다고 투덜대면서도

헤겔의 철학을 이해하기란 너무 힘들어.

도대체 무슨 얘기를 하는 거지?

꾸준히 그의 사상을 공부하고 연구하는 것을 보면 알 수 있지.

그래도 안 할 수는 없으니….

해야지….

그가 철학의 역사에서 결코 지울 수 없는 업적을 남긴 철학자라는 것은 누구나 인정할 수밖에 없어.

오~ 진짜 지워지지 않는걸?

볼펜으로 써서 그렇잖아!

하하….

자, 그러면 헤겔이 어떤 사람인지,

자신에 대해 얘기해 주시겠어요?

인터뷰? 이거 쑥스러운데!

어떤 곳에서 어떤 생활을 했는지 자세하게 알아보자.

그럼… 내 이름에 대해서 먼저 얘기해줘야겠네.

헤겔은 알다시피 성이고 이름은 좀 길어.

게오르그 빌헬름 프리드리히거든.

헉! 너무 길어.

헤겔은 1770년에 슈투트가르트라는 남부 독일에서

베를린

슈투트 가르트

삼 남매 중 맏이로 태어났어.

이 지방을 흔히 슈바벤이라고 하는데, 놀랄 만큼 많은 훌륭한 사람들을 배출한 곳이야.

또 우리나라에는 발레로 아주 잘 알려진 곳이지.

나는 한국 사람이지만 독일에서 발레로 유명한 강수진이라고 해.

이 지방은 나중에 헤겔이 교수가 되어서 강의를 했던 베를린과는 상당히 다른, 독특한 문화를 가진 곳으로

헤겔은 자기 고향 특유의 억양을 가지고 수업을 하는 바람에

아따, 고거이 요로코롬 바뀐당께~

학생들이 알아듣지 못하는 경우도 종종 있었다고 해.

뭐라고 하시는 거야?

그, 그러게….

헤겔의 아버지는 법원에서 관리로 일했고,

법원

교사나 목사로 활동하는 사람들이 많은 집안답게

학교

헤겔도 일찍부터 많은 것을 배웠단다.

헤겔의 부모는, 특히 어머니가 학구열이 강해서

엄마 말만 잘 들으면 성공할 거야.

헤겔이 세 살 때부터 독일어를 배우게 하고 다섯 살부터는 라틴어를 배우게 했다니,

독일어… 라틴어… 독일어…

상당한 조기교육을 시켰다고 할 수 있지.

어이구, 우리 아들 공부 열심히 하네~

힘들어….

하지만 덕분에 고전에 대한 교육을 일찍부터 철저히 받을 수 있었고, 당시 학문에 꼭 필요한 라틴어와 그리스어를 잘 할 수 있게 되었지.

엄마 덕분에 많은 도움이 되었지.

또 헤겔은 자신이 공부한 내용을 일찍부터 꼼꼼하게 기록하는 습관을 가졌고,

음, 이건 메모를 해야겠는걸.

이런 기록하는 습관은 결혼 후에는

가계부까지 직접 쓸 정도였고,

오늘은 파 한 단하고 양파 두 개를 샀으니….

평생 이 습관을 지켰다고 하니 놀라운 일이지?

오늘도 파 한 단하고 양파 두 개를 샀으니….

이렇게 교육에 신경을 쓰던 헤겔의 어머니는 신앙심이 아주 깊어서

또 기도하시는구나.

헤겔이 신학을 공부해 사제가 되기를 원했지만

헤겔이 열한 살이 되었을 때 돌아가셨단다.

엄마….

그렇지만 헤겔은 어린 시절을 그런대로 무난하게 보냈고, 아버지와 사이도 좋았다고 해.

아들, 입질이 어때?

이곳은 영 아닌데요.

튀빙겐의 삼총사, 혁명의 나무를 심다.

평범한 어린 시절을 보내고 인문학교를 훌륭하게 마친 후, 헤겔은 1788년부터 집을 떠나

아버지, 다녀올게요.

조심하거라!

튀빙겐에 있는 대학을 다니기 시작하면서 새로운 생활을 시작했어.

이제는 나도 대학생이야.

이 시기는 역사적으로도 많은 일이 일어나고,

대표적인 사건으로는 프랑스혁명을 들 수 있어.

정치와 사회에도 큰 변화가 생겼던 중요한 때지.

이 사건으로 봉건적인 구시대가 끝나게 되었지.

그때 독일은 오늘날과 같은 통일된 국가가 아니고 여러 작은 공국으로 이루어져 있던 상태였단다.

공국?

공국이 뭐예요?

공국이라는 것은 왕이나 황제가 다스리는 국가가 아니고,

이 땅을 귀공이 다스리게나!

네, 알겠습니다.

그보다 지위가 낮은 작위를 가진 귀족, 즉 공작, 후작, 백작 등이 군주인 나라를 말하지.

나라의 규모는 작을 수밖에 없었겠지?

그렇구나.

그러나 이웃 나라인 프랑스에서는 큰 변화가 일어나고 있었어.

술렁, 술렁!

이러한 시대는 자연스럽게 헤겔과 같은 젊은이들에게 영향을 미칠 수밖에 없었단다.

무언가 변화의 바람이 불어오고 있구나.

헤겔은 대학에서 신학과 철학 공부를 시작했는데,

철학

신학

처음에는 신학에 좀 더 관심을 가지고 있었지.

철학은 나중에….

휙

철학

대학에서 헤겔은 공부에만 몰두해서인지

어? 헤겔이다.

걸어가면서도 공부하고 있구만!

옷이라든지 다른 일에는 도무지 관심도 없고

오늘 파티 있는데 같이 가자.

그래, 멋진 옷 좀 차려 입고 와!

그, 그게 오늘 마저 봐야 할 부분이 있어서….

행동도 느려서 별명이 '노인네'였대.

노인네가 따로 없군!

하하하!

헤겔은 대학에서 중요한 친구들을 만나 매우 절친한 사이가 되는데,

미안, 내가 좀 늦었네.

그들이 바로 나중에 유명한 철학자와 시인이 되는 셸링*과 횔덜린*이란다.

왜 이리 늦었어?

또 책 보면서 오느라 늦었지?

셸링

횔덜린

*셸링 1775~1854   *횔덜린 1770~1843

헤겔은 이 두 친구와 그리스 문화에 깊은 관심을 가지고

많은 이야기와 토론을 하고, 서로 도움을 주고받으면서

'튀빙겐의 삼총사'로 모두가 열심히 자신의 길을 준비했어.

난 철학을 공부했어.

나는 시!

나는 신학!

삼총사 가운데 셸링은 16세에 벌써 대학에서 철학 공부를 시작할 만큼 뛰어난 천재였고,

홋, 천재는 무슨….

옷!

헤겔보다 훨씬 먼저 철학으로 유명해졌는데 나이는 헤겔보다 다섯 살이나 어렸지.

형이라고 해라!

싫어, 나이는 어려도 유명해진 것은 내가 먼저잖아.

나이 많은 헤겔이 좌절했을 거라는 생각이 들지만

그래도 내가 형인데….

너무나 일찍 성공한 천재 철학자 셸링의 명성은 나중에 헤겔의 그림자에 가려지게 되었어.

크험! 먼저 유명해지면 뭐해?

쳇!

다른 한 친구 횔덜린은 철학적인 주제를 주로 다루는 시인이 되어서 다른 후배 철학자들에게 영향을 미쳤는데,

운명 앞에서 소망이란 어리석은 것이다.

그는 자유를 억압당하거나 부당한 사회적 제약으로 고통 받고 있는 이들에게 따뜻한 위로와 격려를 해주었지.

불행하게도 오랫동안 정신병을 앓다가 정신병원에서 세상을 떠났지.

아하하하하하하~!

그런데 질문 하나 할까?

무엇이든 물어보세요.

음….

헤겔이 대학 공부를 막 시작할 무렵 역사적으로 중요한 사건들이 많이 일어났는데

특히 프랑스에서는 세계사적인 의미를 가지는 일이 생겼어. 그 사건이 무엇인지 아는 사람?

프랑스 혁명이요!

그렇지, 바로 프랑스혁명이야. 프랑스혁명은 성난 시민들이 1789년에 바스티유 감옥을

습격하면서 시작되었어.

와아아아아

하지만 이 일은 프랑스에 국한되지 않고,

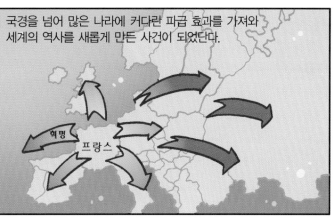

국경을 넘어 많은 나라에 커다란 파급 효과를 가져와 세계의 역사를 새롭게 만든 사건이 되었단다.

혁명

프랑스

그래서 어떤 사람들은 프랑스 혁명을 열렬히 환영하면서

프랑스에서 일어난 일 들어봤어?

프랑스혁명 말이지?

자신들의 나라와 관련해 기대감을 갖기도 하고,

우리나라도 이런 봉건주의를 타파할 수 있을 거야.

응!

어떤 사람들은 미래가 어떻게 될지 모른다는 불안감에 떨기도 했어.

에구… 나라가 어떻게 되려고 이렇게 시끄럽지?

그러게 말일세.

독일은 프랑스의 바로 이웃 나라이기 때문에 기대감과 혼란스러움은 더욱 심했고,

이제 우리가 변할 차례야!

이봐, 진정하라고. 세상이 변한다고 다 좋은 것이 아냐!

반면 영국은 비교적 차분한 태도를 보였단다.

신사로서 차분하게 상황을 주시하자고.

하지만 유럽 대부분의 지식인과 예술가들은 혁명의 열기에 휩싸여서 흥분했지.

세상이 변하고 있어!

윌리엄 워즈워스*가 쓴 시의 한 구절을 보면 당시 분위기를 느낄 수 있을 거야.

생생히 밝아오는 새벽이 황홀하도다. 젊다는 것 또한 더할 나위 없는 축복일지어다!

오오~!

＊윌리엄 워즈워스 1770~1850 - 영국 낭만파 시인

프랑스혁명은 많은 사람들이 봉건적인 구시대를 끝내고

영주와 농민시대가 이제 끝나는 거야!

새로운 시대를 여는 것이었고,

끼익!

새로운 시대

그것은 자유를 뜻하는 것이었어.

FREE

봉건시대에는 절대권력을 가진 왕이나 군주가 모든 것을 결정하고

내 말은 곧 법이며 진리다!

사람들 사이는 귀족과 노예 같은 신분으로 엄격하게 나뉘었다는 것은 알고 있지?

얼른 닦아라!

네!

그러니까 국민이 직접 투표를 하거나 정치를 하는 것은 고사하고 개인의 당연한 권리와 자유도 없는 시대지.

새로운 시대란 이러한 나쁜 제도와 신분 차이들이 사라지고

이제 안 해!

세상은 변했어!

보통 사람들이 당당한 주인이 되는 세상이라고 할 수 있지.

우린 더 이상 노예가 아니라고!

이때 헤겔은 막 19세의 생일을 맞이하기 바로 직전이어서

세상이 정말 변하고 있구나!

프랑스혁명은 헤겔 자신에게도 더욱 뜻 깊은 의미를 가졌어.

세상이 변하면 나도 좀 더 나은 삶을 살 수 있을 거야!

헤겔은 프랑스혁명을 '영광스러운 새벽'이라고 부르며 자유를 기뻐하는 많은 젊은이들과 함께

나도 함께해요!

프랑스혁명에서 사람들이 부르던 〈라마르세예즈〉*를 부르고, 실러*라는 독일 작가가 쓴 〈환희의 송가〉를 외쳤단다.

한마디로 열광과 환호의 도가니였지.

*라마르세예즈 – 프랑스의 국가(國歌) *실러 1759~1805

그러나 헤겔의 삼총사와 같은 젊은 대학생들은

?

뭔가 부족하지 않아?

?

이 정도로는 혁명에 대한 자신들의 생각을 충분하게 나타냈다고 여기지 않았어.

그래. 이렇게 환호하는 정도로 만족해서 될까?

흠…

참! 〈라마르세예즈〉라는 노래에 대해 알고 있는 사람이 혹시 있니?

〈라마르세예즈〉? 잘 모르겠어요.

이 노래는 긴 역사와 깊은 의미가 있는 노래여서 잠깐 이야기를 하고 갈게.

요즘음 사람들은 이 노래를 프랑스 대표팀이 나오는 축구경기 같은 행사에서 들을 수 있는 프랑스의 국가로 알고 있는데,

Allons enfants de la Patrie,
Le jour de gloire est arrivé!
Contre nous de la tyrannie, L'étendard sanglant est levé,
…

사실은 프랑스혁명의 역사 속에서 만들어진 뜻 깊은 노래란다.

이 노래는 원래 뜻에서부터 알 수 있듯 처음부터 프랑스의 국가였던 것이 아니고, 마르세유의 군인들이 행진하면서 불렀던 노래란다.

가자, 조국의 아들들아!
영광의 날이 왔다!
압제에 맞서 피 묻은 깃발을 들었다!

프랑스혁명이 일어나자, 유럽은 이 혁명이 자기 나라에도 옮겨 올까 봐 겁을 먹었고

이러다 우리 봉건제도도 무너지는 거 아냐?

라마르세예즈는 프랑스어로 '마르세유의 행진곡' 이라는 뜻이지.

La Marsseillaise

그래서 프랑스와 전쟁을 하게 되었는데,

공격!

프랑스는 군인들의 사기를 높이기 위해 군가를 만들어서 부르게 했대.

군가를 부르면 용기가 날 거야!

그런데 특히 마르세유에서 온 의용군들이 파리로 행진하면서 이 노래를 굉장히 씩씩하게 불렀던 거지.

무장하라, 시민들이여! 무리를 지어라! 행진하자, 행진하자!

불순한 피가 우리의 밭을 적실 때까지!

그래서 깊은 감명을 받은 사람들은

오오~ 용감무쌍함이 느껴져!

완전 감동이야!

'마르세유의 노래'라는 뜻으로 이 노래를 〈라마르세예즈〉라고 불렀지.

힘내라!

파이팅!

그러면서 이 노래는 점점 프랑스 왕정을 거부하는 혁명의 노래가 되었단다.

그래서 지금도 이 노래는 사람들이 정부를 비판하거나

가자, 조국의 아들들아!

영광의 날이 왔다!

노동자들이 자신들의 권리를 주장할 때도 많이 부르지.

압제에 맞서 피 묻은 깃발을 들었다!

한때는 이 노래를 부르지 못하게 하기도 했지만,

그 노래는 반정부 성향이 강하니까 부르지 마세요!

지금은 당당하게 프랑스의 국가가 되어 중요한 행사에 빠지지 않는 노래가 된 거란다.

그리고 실러의 〈환희의 송가〉는 인류의 평화와 화합을 기원하는 시였어.

그 당시 사람들의 생각을 깨우쳐 주려는 생각이 담겼어.

그래서 좀 더 나은 세상을 바라고, 또 그러한 세상을 위해 애쓰는 사람들 사이에 많이 알려진 시란다.

이봐, 〈환희의 송가〉라는 시를 아나?

나같이 세상을 위해 사는 사람이 모를 리 없지.

게다가 베토벤은 이 시를 그 유명한 교향곡 9번으로 작곡했지.

〈환희의 송가〉가 바로 베토벤 교향곡 9번에 나오는 합창의 가사야.

다 말하기는 너무나 길고 한 연만 소개하자면 이렇단다.

환희여, 아름다운 신들의 불꽃이여, 천국의 딸이여. 우리는 불에 취해, 그대의 신성한 천국에 발을 디디노라!

어때? 기쁨에 들떠서 어쩔 줄 모르는 장면이 상상이 되니?

자 그럼, 다시 헤겔에 관한 이야기로 돌아가자.

어느 일요일 아침, 이들 삼총사는 튀빙겐의 숲에 자유의 나무를 심고

휴~ 다 됐다.

힘들다!

서로 손을 잡고 나무 둘레를 돌면서 춤을 추었단다.

야호~!

신난다!

상상이 되니? 헤겔은 그다지 잘생긴 편도 아니고,

흠, 흠, 얼굴이 전부가 아니야….

160센티미터 정도의 작달막한 키인 헤겔이

나는 키도 작았어.

혁명에 환호하면서 춤을 추고 노래를 부르는 모습 말이야.

으하하하~

독일에서도 혁명이 일어날 것을 기대한다.

혁명의 열기와 흥분이 가라앉고,

헤겔이 대학을 졸업하고 교수가 된 다음에도

오늘 교수로 부임한 헤겔입니다.

혁명이 일어났던 7월 14일에는 매년 축배를 들면서 혁명을 기념했다고 해.

혁명 만세!

헤겔의 마음속에는 혁명의 불길이 사라지지 않았다는 증거지.

이 시원한 맥주로도 나의 열정을 끄지 못하지!

꿀꺽

프랑스혁명은 헤겔에게 역사와 철학의 근본이 무엇인지를 생각하게 하는 계기였고

흠… 프랑스혁명은 나에게 많은 것을 생각하게 하는구나.

와아—

역사의 중요성을 깊게 경험하도록 한 사건이었어.

분명 이 프랑스혁명은 역사와 관련이 있을 거야.

헤겔과 그의 친구들은 혁명을 위해서 함께 일할 것을 맹세하고 자유의 나무가 깊이 뿌리 내릴 것을 기대했지만

자유

혁명의 열기가 독일까지 쉽게 옮겨 오지는 않았고,

아직도 혁명의 열기가 안 왔어?

아… 몇 년째 여기서 기다리는 거야, 우리는….

털썩

삼총사의 관계도 금이 가기 시작하면서 각기 자신의 길을 갔단다.

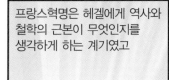

헤겔, 말 탄 절대정신을 보다.

헤겔은 대학을 졸업한 후,

드디어 졸업이구나.

당시 대부분의 지식인들처럼 귀족 집안의 가정교사 생활을 시작했는데,

이때 헤겔은 별로 행복하지 못했어.

이제부터 이 집의 가정교사로 살아야 하는구나.

스위스 베른의 귀족 집에서 아이들을 가르치면서

혼자만 독일을 멀리 떠났다는 생각으로 우울증을 겪기도 했거든.

요를레이요~

하지만 다른 한편으로는 당시의 귀족 정치를 직접 경험하면서 현실을 좀 더 알 수 있었지.

학교에서 배우는 것과 실제 정치란 이렇게 차이가 있구나.

그런데 셸링은 이미 국가적인 명성을 얻으면서

23세에 대학교수가 되어 자신의 철학세계를 발전시키고 있었어.

오늘 나의 철학 강의는 중요하니 졸지 말도록!

또한 횔덜린도 이미 프랑크푸르트에 정착하고 있었지.

프랑크푸르트는 유럽의 각종 사회적 변화를 주도했던 도시였어.

따라서 아직 아무것도 이루지 못했던 헤겔은

나는 지금 여기서 뭐하고 있는 거지?

자신에게 적지 않은 실망감을 느끼고 있었지.

아무튼 헤겔은 다시 독일로 돌아오고 싶어했고,

흠!

프랑크푸르트에서 잘 지내고 있나? 나도 독일에 돌아가고 싶군.

횔덜린의 도움으로 가정교사 자리를 프랑크푸르트로 옮길 수 있었어.

고맙네, 자네 덕분에 돌아왔네.

밥 사는 거 잊지 말게나.

그러나 헤겔은 어떻게 해서든 대학에서 가르치고 싶어했단다.

그런데 대학교수 자리는 없나?

글쎄, 그건 나도 알아보지 않아서 모르겠군.

당시 헤겔은 이미 1793년부터 책을 출판하기 시작한 셸링에게 상당한 열등감을 가지고 있었어.

셸링은 벌써 출판을 시작했구나.

셸링출판기념사인회

헤겔은 스스로 자신이 셸링보다 상당히 뒤진다고 생각했어.

나는 지금 뭐하는 거지….

헤겔은 1794년에 셸링에게 보낸 편지에 이렇게 썼지.

내가 자네의 책에 대해서 어떤 평을 할 수 있다고 생각하지 말게나. 나는 지금도 배우는 사람일 뿐이라네… 내 저작은 이야기할 가치도 없지만 말이야.

오늘날 헤겔의 명성을 생각하면 상상하기 어려운 일이지?

네!

헤겔의 생활은 별로 나아지지 않았어.

언제까지 가정교사 일을 해야 하는 걸까….

헤겔의 아버지가 1799년에 죽으면서 약간의 유산을 남겨 주었는데,

아버지! 흑흑흑….

헤겔은 그 돈으로 가정교사 자리를 그만두고

이제 그만 두겠습니다. 여기 사표!

음, 알겠네.

1801년, 마침내 철학의 도시 예나로 갔단다.

그곳에서는 이미 셸링이 예나대학에서 철학으로 이름을 날리고 있어서

예나대학

그 덕분에 헤겔 역시 강의를 할 수는 있었지만,

친구 덕에 나도 강의를 할 수 있게 되었구나.

그가 얻은 지위는 학교로부터 월급을 받는 것이 아니고 수업을 듣는 학생들로부터 수업료를 받아서 생활해야 하는 사강사 자리였지.

오늘부터 제가 수업을 하지요.

사강사 자리만도 어디야?

헤겔은 이러한 사강사로 1807년 예나를 떠날 때까지 일했으니까 생활이 어땠는지는 짐작할 수 있겠지?

오늘도 빵으로 때우자.

사강사는 교수자격 시험에 합격했지만

와~ 합격이다!

교수자격 시험 합격자

정식교수로 임명을 받지 못하고 대학에서 강의하는 자리였어.

이제부터 시작이다!

그런데 국가에서 월급을 받는 것이 아니고 학생들이 내는 수업료를 받았기 때문에

헉!

학생이 적으면 수입도 적어서 본래 재산이 많지 않으면 생활이 무척 어려운 경우가 많았지.

안 되지, 학생들을 돈으로 보면 안 돼.

?

헤겔뿐만 아니라 오늘날 유명한 대부분의 사람들이 돈 때문에 어려움을 겪었단다.

돈 걱정 없이 살았으면 좋겠다.

독일에서는 정식교수가 되기 전에는 누구나 사강사로 먼저 시작했는데, 지금도 이런 사강사 제도가 있어.

강사 일을 하다가 교수가 되는 것은 어쩔 수 없는 과정이야!

이런 어려움 속에서도 헤겔의 철학에 대한 탐구는 그치지 않았고,

철학아, 넌 어떤 존재니?

1803년에는 모든 철학을 하나로 묶어 보여줄 수 있는 체계를
제시하겠다고 장담했지만,

내가 철학을
하나로
묶을 거야!

꽁차

꽁차

실제로 계획했던 책의 일부가 나온 해는
1807년이었단다.

탁탁

일부지만
완성했어!

바로 이 책이 헤겔의 대표작으로,
헤겔의 천재성을 보여준
《정신현상학》이지.

그런데 우연히도 이 책은 또 다른
역사적인 사건과 교차하게 돼.

어떤 일인지
궁금하지?

네~!

1806년 헤겔은 원고를 출판사에
보내야 했어.

왜 헤겔의
원고가 아직
안 들어온 거야?

그, 그게….

그렇지 않으면 손해배상을
물어야 했으므로

흥,
늦기만 해봐!
손해배상
청구할 거야.

헤겔은 서둘러 원고를 써야만 했지.

으아, 마감
지나면
큰일 나!

그런데 바로 이때 프랑스의 나폴레옹은

모두
나를 따르라!

독일을 점령하기 위해서 예나를 공격해왔단다.
그때가 1806년 10월 12일 밤이었지.

왕아

으으아

그리고 헤겔은 10월 13일까지 예나에서
떨어진 곳에 있는 출판사로

이런… 내일까지 원고를
마감해야 하는데….

꽈
꽝

약속한 원고를 보내야 했으니, 얼마나 급박한 상황이었을지 상상해 봐.

이럴 때가 아니지. 어서 원고를 쓰자!

밖에서는 프랑스 군대가 공격하면서 쏘아대는 포격 소리가 들려오는데 헤겔은 철학 책을 써야 했던 거지.

쾅!!

쾅!!

다음 날 나폴레옹이 예나를 정복해 도시로 행군해서 들어오는 것을 보고

결국 프랑스에게 졌구나!

헤겔은 아직 마치지 못한 원고를 미루어두고는

결국 프랑스에게 졌구나!

출판사에 편지를 썼단다.

출판사에 편지를 써야겠어!

나는 말 위에 탄 세계정신(나폴레옹)이 군대를 사열하면서 도시를 통과하는 것을 보았소. 실제로 그 위대한 존재를 보는 것은 정말 놀라운 경험이오. 그 존재는 말을 탄 채로 한 점을 응시하면서 세계를 장악하고 세계를 지배하고 있소.

헤겔은 나폴레옹을 인간의 모습으로 나타난 세계정신으로 보았어.

오오~ 세계정신이다!

헤겔은 역사를 지배하는 주인이 바로 정신이라는 생각을 가지고 있었으므로,

역사의 주인은 정신이야.

헤겔에게 나폴레옹은 자신이 살고 있는 도시를 점령한 침략자가 아니고,

오히려 역사를 발전시켜서 한 걸음 더 완성을 향해 나아가도록 하는 세계사의 위대한 주인공이었던 것이지.

오오! 위대한 정신이여!

이 경험은 헤겔의 사상과 철학에 대단히 깊은 영향을 끼쳤어.

그래, 바로 이거야!

하지만 헤겔이 나폴레옹에게 가졌던 기대와 희망은 나폴레옹이 패배와 몰락의 길을 가게 되자 깊은 충격으로 나타났지.

크흑, 러시아 원정 실패로 나의 군대는 거의 전멸했어.

나폴레옹의 퇴위에 대해 헤겔은 이렇게 말했어.

위대한 천재가 평범하게 파멸하는 비극적인 일이야!

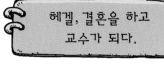

헤겔, 결혼을 하고 교수가 되다.

프로이센이 나폴레옹 군대에 패하자,

독일

대학도 폐쇄되어 헤겔은 더 이상 남아 있을 수 없게 되었지.

이럴 수가….

어쩔 수 없이 예나를 떠나 다른 곳에서 잠시 신문사 일을 하다가,

어쩌다 내가 이 일을 하게 된 건지….

다시 바이에른의 뉘른베르크 지방에 있는 인문계 고등학교 (김나지움)에서

철학교수 겸 교장 자리를 얻어서 9년 동안 일했어.

에~ 여러분은 학생으로서의 본분을 지키기 위해….

헤겔은 자신의 학생들을 열심히 가르쳤고, 특히 그리스 로마의 고전과 철학을 강조했어.

학생들의 사고력을 키워주려고 애쓴 노력은 적지 않은 성공을 거두었단다.

그래서 우리의 생각을 키워야 하는 거야.

뉘른베르크에서 비로소 헤겔의 생활은 조금씩 안정되기 시작했지.

예전에는 돈이 없어서 고기 구경도 못했는데….

헤겔은 1811년에 뉘른베르크의 명망 있는 집안의 딸, 마리 폰 투허(Marie Von Tucher)와 결혼을 했어.

그때 헤겔의 나이는 이미 41세였고 부인의 나이는 겨우 헤겔의 나이 절반 정도 밖에 되지 않았지만

저런 도둑놈!

부럽다!

결혼 생활은 행복했다고 해.

이 시기부터 헤겔은 평온한 생활을 할 수 있었지.

다녀오리다.

수고하세요~

그런데 헤겔에게는 결혼하기 전 예나에서 자신의 집안일을 돌봐주던 여자와의 사이에서 난

루트비히라는 아들이 있었어.

네 이름은 루트비히다!

그리고 정식으로 결혼을 한 마리 폰 투허와의 사이에서는 딸 하나와 두 아들이 있었는데,

이 중 첫째 아들이 위에서 말한 역사학자로 헤겔의 책을 펴낸 칼이고,

이봐, 설마 날 잊은 거 아니겠지?

둘째 아들은 신학에 관심이 많았지.

그러나 딸과 아들 루트비히는 일찍 죽고 말았어.

아들 루트비히는 처음에는 친어머니와 살면서

엄마, 오늘은 쉬세요.

그냥 취미로 하는 거란다.

아버지 헤겔로부터 양육비만을 받다가,

이번 달 생활비라네!

1816년에 어머니가 죽자 아버지 쪽으로 입적되었지만

이 아이 이름은 루트비히란다.

네덜란드 동인도회사에 배속되었다 열병으로 죽고 말았단다.

항상 냉정하고 침착할 것 같은 헤겔도

이렇게 불행하게 태어나서, 불행하게 죽은 아들 루트비히 때문에 많은 고통과 슬픔을 겪었지.

흑흑, 미안하다. 사랑한다….

헤겔은 교장으로 있으면서도 끊임없이 철학연구를 했고,

철학을 가르칠 수 있는 최선의 방법을 찾으려고 노력했는데

어떻게 하면 학생들에게 철학을 쉽고 재미있게 가르쳐 줄 수 있을까?

그 결실은 《논리학》이라는 책으로 나타났어.

두둥~!!!

논리학

헤겔

이 책은 놀랍게도 1812년, 1813년과 1816년에 세 권의 책으로 출판되었고

논리학 1
1812년 발행

논리학 2
1813년 발행

논리학 3
1816년 발행

이것을 계기로 헤겔은 세상의 주목과 관심을 받게 되었지.

헉!

그러자 동시에 베를린, 하이델베르크 그리고 에를랑겐에서 철학교수 자리를 제안받았단다.

나에게도 이런 날이 올 줄이야!

하지만 베를린대학교 당국에서는 헤겔이 자신의 복잡한 철학을 학생들이 이해할 수 있도록 강의할 수 있을까에 대해 상당히 의심스러워했어.

헤겔의 강의는 들을 만할까요?

무엇보다 자신의 복잡한 철학을 학생들에게 이해시킬 수 있느냐가 중요합니다.

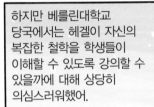

그래서 다른 교수에게 헤겔을 직접 만나보고 보고해 달라고 부탁을 했단다.

저는 베를린 대학교에서 왔습니다.

오, 잘 오셨습니다.

헤겔은 대화를 잘하고 설득력도 있습니다. 그의 강의 또한 그럴 것이라고 생각합니다.

그리고 그 교수는 이런 보고서를 베를린에 보냈어.

그래, 뭐라 씌어 있습니까?

어서 읽어보시오.

그런데 그는 비장해져서 소리를 지르거나 화를 내기도 하고….

말을 타고 시내에 들어오는 나폴레옹의 모습은 대단했습니다!

지, 진정하게….

농담을 해대서는 옆길로 빠지기도 하면서,

아이고, 배야! 웃기잖습니까? 전쟁이 일어났는데 저는 다음 날 마감해야 했으니까요.

푸하하

으음….

또 자기 자랑을 오만하게 늘어놓기도 합니다.

하지만 저는 편지 한 통으로 더 유명한 일화를 만들어내기도 했습니다.

쩝….

그리고 이러한 점에 많은 학생이 매력을 느끼게 되었답니다.

오오~

그렇군요.

베를린대학에서 그를 망설이는 동안 헤겔은 하이델베르크로 가기로 결정했는데,

베를린에서는 연락이 없네. 하이델베르크로 가지 뭐.

이때가 1816년으로 헤겔의 나이 마흔여섯이었어.

처음으로 정식 교수가 되어 안정된 생활을 할 수 있게 되자, 그의 명성은 점점 높아져서

헤겔 교수님 수업은 너무 재미있어!

그리고 철학 내용이 너무 좋아.

곧 베를린으로부터 초청장이 날아오게 되었단다.

내가 정말 유명해지긴 했나 봐!

초청장

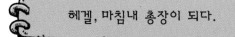

헤겔, 마침내 총장이 되다.

헤겔이 하이델베르크대학 교수가 된 다음 해인 1817년 프로이센의 어떤 귀족이 교육을 담당하는 장관으로 임명되었어.

나는 평소 헤겔의 실력을 높이 평가하고 있었지.

그는 대단히 진보적인 사람으로 장관이 된 지 채 두 달도 안 되어 헤겔을 베를린으로 초청했고,

헤겔을 베를린으로 초청하시오.

네, 알겠습니다.

헤겔은 주저 없이 이 초청을 받아들여 1818년에 베를린으로 떠났지.

문화 장관님께서 베를린으로 당신을 초청하셨습니다.

네, 가겠습니다.

그러고는 죽을 때까지 베를린에서 학생들을 가르쳤단다.

이곳이 베를린이군!

당시 베를린은 독일에서 가장 먼저 개혁을 추진하면서 변화의 중심에 있던 도시였어.

또한 새로운 학문과 사상의 중심지로서 베를린대학은 많은 학생들이 모여들고 있었단다.

여기가 베를린 대학이야.

이제 나도 이곳 학생이라고!

헤겔의 입장에서는 조금도 망설일 이유가 없었던 것이지.

여기 베를린이야말로 내가 오랫동안 꿈꾸어 온 인문주의 교육을 할 수 있는 곳이야.

헤겔은 이 시기부터 자신의 철학을 강의 형태로 본격적으로 가르치기 시작했는데,

이제 본격적으로 나의 철학을 가르쳐볼까?

그가 한 강의는 역사철학, 종교철학, 미학 그리고 철학사였단다.

그리고 이때 《법철학》이라는 책을 출간했어.

이 시기가 내 삶에서 최고의 시기였다고 말할 수 있어.

학생들은 그의 강의를 높이 평가했고,

역시 헤겔 교수님 강의가 최고야.

맞아, 맞아!

동감해!

그의 강의를 듣기 위해 독일 각지에서 모여든 많은 뛰어난 사람들이 그의 제자가 되기를 원했단다.

그렇지만 엄밀하게 살펴보면 헤겔의 강의가 그렇게 훌륭한 것이었는지는 조금 의심스럽기도 해.

왜요?

한 학생이 남겨 놓은 기록에는 이렇게 묘사되어 있거든.

처음에 난 그의 강의 방식이나 그의 연속되는 사유에서 길을 찾을 수가 없었다.

지치고 침울해 보이는 그는 허탈한 듯이 앉아 있었고, 머리는 아래로 숙이고 있었다.

그리고 그는 말하면서 페이지를 계속 넘기고 있었고, 커다란 노트를 앞으로 그리고 위아래로 찾고 있었다.

그러니까…. 내가 말하고자 하는 것이…

그는 끊임없이 목청을 가다듬고 기침을 해서 강의의 흐름을 방해했다.

쿨럭, 쿨럭!

흠, 흠….

어쩌면 사람들은 헤겔의 사상을 이해해서가 아니라,

소문과는 다른 것 같은데….

쿨록 쿨록

세계적인 명성을 얻은 헤겔을 당시의 철학적 권위 자체로서 보았기 때문에 더욱더 매력을 느꼈을 수도 있을 거야.

헤겔은 마침내 60세가 된, 1830년에 베를린대학 총장에 선출되었어.

그러나 헤겔은 당시 유럽을 휩쓸던 콜레라에 걸려서

쿨럭, 쿨럭!

총장이 된 다음 해에 죽음을 맞이했단다.

그러니까 베를린대학 총장이 된 지 겨우 일 년 만에 세상을 떠난 거지.

아직 해야 할 말이 많은데….

헤겔의 급작스러운 죽음은 베를린 대학만이 아니라 철학계에 커다란 충격을 줬단다.

헤겔이 죽다니….

말도 안 돼!

큭!

헤겔의 죽음에 대해 한 동료는 이렇게 말했다고 해.

무서우리만큼 끔찍한 공허함이여! 그는 우리 대학의 초석이 되었다.

사실 헤겔은 콜레라를 피해서 여름 내내 베를린을 떠났다가

잠시 다른 곳에 있다가 옵시다.

가을에 새로운 학기가 시작돼 베를린에 다시 돌아온 거였어.

새 학기야. 수업해야지!

하지만 불행하게도 콜레라의 공격을 피할 수 없었던 거야.

잡았다!

헉!

헤겔은 의사들의 치료를 받고 회복하리라 생각했지만,

콜레라… 게임하다가 들어본 것 같기도 한데….

결국 3개월 정도를 고통 속에서 보내다가 병이 더 심해져서 세상을 떠났단다.

케엑, 쿨럭, 쿨럭!

여보!

얼마나 고통이 심했던지 잠시 통증이 약해지면 헤겔은 부인에게 이렇게 말했어.

하느님은 오늘 밤 내가 이렇게 평온한 시간을 가질 수 있기를 바랐을 거야.

여보….

소문에 의하면 이 말이 헤겔이 한 마지막 말이라는구나.

그렇군요….

그런데 헤겔은 철학자 피히테의 곁에 묻히고 싶어했어.

끄덕

나를 피히테 곁에 묻어 주시오.

그래서 소원대로 그의 곁에 묻혔지.

베를린대학은 헤겔이 남긴 공백을 채우기 위해 헤겔의 친구이자 철학계의 선배인 셸링을 초청했단다.

나의 친구 헤겔 대신 제가 강의를 하게 되었습니다.

앞에서 말한 것처럼 셸링은 헤겔보다 나이가 어렸기 때문에 한창 활동할 수 있는 때였거든.

셸링은 헤겔이 아직 예나에 있던 때에 쓴 책에서

아니, 헤겔이 친구 너무 하는 거 아냐?

자신을 비판했다는 이유로 헤겔과는 오래전에 절교한 상태였어.

흥! 절교일세!

게다가 후배나 다름없는 헤겔에게 역전 당했다는 생각을 가지고 있었기 때문에 좋은 기회라고 생각했어.

이 기회에 내가 더 대단하다는 것을 보여주겠어!

프로이센의 문화 장관은 셸링이 젊은이들의 마음에 심어진 범신론적인 씨앗을 없애주기를 바랐단다.

셸링 교수님, 젊은이들을 잘 부탁합니다.

걱정 마십시오.

그러나 시대는 셸링에게 호감을 보여주지 않았어.

무슨 소리하는 거야?

지금이 어떤 시대인 줄 알기나 하나?

범신론이란 신(神)과 전우주(全宇宙)를 동일시하는 종교적·철학적 혹은 예술적인 사상체계를 말해.

셸링이 주장하는 신비주의에 대해 학생들은 실망감을 노골적으로 보이면서 떠나갔지.

아니!

결국 셸링은 헤겔의 명성을 뛰어넘을 수 없었어.

헤겔이 죽은 후 제자들은 헤겔의 강의 노트를 편집해서 책으로 출간했단다.

헤겔 교수님의 강의 내용으로 책을 내려고 합니다. 강의 시간에 필기한 노트를 저에게 주세요.

여기 있습니다.

제 것도 봐주세요.

이런 방식으로 《역사철학 강의》만이 아니라, 《미학 강의》, 《종교철학 강의》 그리고 《철학사 강의》도 책으로 만들어진 거야.

그러고 보니 모든 책 제목에 '강의'가 있네.

미학 강의

역사철학 강의

종교철학 강의

철학사 강의

제3장 헤겔 이전의 역사철학자
- 칸트와 헤르더

역사적 사실이란 무엇일까?

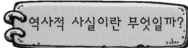

역사의 특이한 점은 무엇이고, 역사적 사실과 다른 분야의 사실은 어떤 차이가 있을까?

역사의 의미는 두 가지가 있단다. 하나는 과거에 일어난 일, 또는 이미 일어난 일이라는 뜻이고

또 하나는 사람들이 기록해서 남겨놓은 과거의 일이라는 뜻이지.

이러한 두 가지의 뜻은 독일어에서 특히 분명히 구별되는데, 왜냐하면 과거의 일들이 모두 기록되어 전해지는 게 아니고,

음, 이 일은 기록하지 않아도 되겠는걸.

이 사건은 빼도 되겠지?

동의하네.

우리에게 알려지는 역사는 역사가들이 나중에 수많은 사건과 사실들 가운데서 중요하다고 생각한 것들을 뽑아서 기록해 놓은 것이기 때문이지.

오! 이런 사건이?

음, 이것은 꼭 기록해야겠는걸!

이건 좀… 다른 걸 볼까?

그렇지만 기록할 당시에는 중요한 것 같았지만

이 일을 꼭 기록해야겠어.

시간이 지나면서 다른 것이 더 중요하다는 것을 깨달을 수도 있고,

이 사건을 더 중요하게 다뤄야 했는데.

또 잘못 판단할 수도 있잖아?

이럴 수가! 그때 기록해 놓은 일이 전혀 중요하지 않았잖아!

이렇듯 역사적 사실은 시간에 따라 다르게 보일 수 있는 특성이 있지.

하지만 다른 지식, 예를 들면 수학 공식이라든지,

으악! 이게 다 뭐야?

으이구….

$f(x) = \frac{\sin x}{x}$
$f(x) \cdot x = x \cdot x$
$\lim_{x \to 0} f(x) = 1$

영하에서 물이 얼음이 되는 과학적 사실들은 시간과 장소가 달라진다고 해서 변하지 않잖아?

아프리카에서도 영하의 온도라면 얼음이 생겨.

이외에도 역사는 다른 학문과 차이가 나는 점이 또 하나 있단다.

네? 뭐죠?

다른 분야의 사실들은 직접 조사할 수 있기 때문에 쉽게 검증해서 사실과 맞는지를 알 수 있는데,

음, 이것은 검증해 보니 사실이군!

역사적 사실에는 이러한 방법을 쓸 수 없다는 거야.

음, 이게 사실일까?

두리번 두리번

왜 역사는 검증할 수 없는데요?

그것은 아주 간단한 이유 때문이지.

역사로 기록된 사실은 이미 과거에 생긴 일이기 때문에 직접 조사할 수 없기 때문이란다.

타임머신이라도 타고 과거로 간다면 모를까?

이 차 웬 거야?

응. 영화에 나온 타임머신 차야.

하지만 역사적 증거들이 남아 있기 때문에 문제가 없지 않나요?

오~ 매우 중요한 지적이야.

역사적 증거라면, 문서, 건물, 그림, 주화 그리고 많은 유적과 유물을 말하는 것이지.

그런데 이러한 것들이 매우 중요하긴 하지만 어디까지나 자료일 뿐,

역사적 사실 그 자체는 아니란다.

역사가들은 이러한 자료를 바탕으로 과거에 있었던 일을 재구성할 뿐이지.

그래서 이러한 자료들은 역사가의 주장을 뒷받침할 수는 있지만, 과거의 일을 검증할 수 있는 것은 아니야.

이런 유물로는 과거의 일을 검증하긴 힘들어.

이러한 점들이 역사의 특징이기도 하고 역사의 어려운 부분이기도 해.

누가 과거의 일을 백 퍼센트 정확하게 알 수 있겠니?

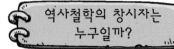

역사철학의 창시자는 누구일까?

역사철학의 창시자는 누구예요?

이 질문에 대한 대답은 여러 가지가 될 수 있지.

?

왜냐하면 역사철학을 하나의 독립적인 학문으로,

역사가 도대체 무엇이고 역사는 어떤 사람에게 어떤 의미를
갖는 것일까? 하고 생각한 사람들은 옛날부터 있었으니까.

역사란
무엇이지?

역사는
인간에게 어떤
영향을 끼치는
것일까?

오래전에 살았던 이탈리아의
철학자 비코나

나는 인간
역사에 주로
관심을 가졌어.

비코 Vico 1668~1744

훨씬 더 거슬러 올라가면
그 유명한 《고백록》을 남긴
초기 기독교 시기의 철학자
아우구스티누스
까지 말할 수
있다는 주장도
있단다.

나는 초대
그리스도교
교회가 낳은
위대한 철학자이자
사상가로 《고백록》은
기독교의 주요
고전 중의
하나야.

하지만 정확하게 말하면, 이 장에서 만나게 될
헤르더와 칸트, 그리고 헤겔이 역사철학을
독립된 주제로 연구했지.

헤르더, 칸트, 헤겔, 그중에서도
헤르더는 《인류역사 철학 시론》
이라는 책을 썼고,

인류역사
철학시론
...

헤겔은 '역사철학 강의' 수업을
통해 역사철학을 가장 활발하게
연구했기 때문에,

역사철학 강의

두 사람이 활동하던 시기를 본격적인
역사철학의 탄생기로 말한다.

1780년대에서
1830년대의
시기야.

역사와 역사철학은 어떻게
다를까?

역사

역사
철학

역사철학이란 학문은 사실
19세기 전까지는 독립적인 분야가
아니었단다.

같이 취급
되었어!

슈욱

그러니까
다른 학문에
비하면 역사가
그리 길지 않지.

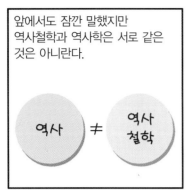

앞에서도 잠깐 말했지만 역사철학과 역사학은 서로 같은 것은 아니란다.

역사 ≠ 역사철학

나라마다 자기 나라 역사에 대한 관심이 커서 나름대로 활발히 연구하고 조사는 했지만,

오, 여기 이조 백자가!

오오!

역사철학에 대해서는 그렇지 않았어.

역사철학? 그게 뭐야?

역사철학이라는 것은 개별적인 역사적 사건을 조사하고 연구해서 기록하는 것이 목적은 아니란다.

그럼 역사철학의 목적은 뭐죠?

역사철학은 역사의 의미가 무엇인가에 대한 것이지.

그래서 역사철학에서는 우리가 흔히 역사적 사실이라고 생각하는 일들,

예를 들면 과거에 어떤 사건이 있었고, 어떤 왕이 훌륭한 왕이고,

한글을 만들어 백성을 널리 이롭게 하리라!

또 어느 나라들이 서로 전쟁을 했나?

콰 콰

하는 것은 중요하게 생각하지 않아.

그럼 역사철학은 뭐가 중요하다는 거야?

그건 말이지~!

척

역사철학은 역사적인 사건들을 하나하나 우연적이고 개별적인 일로 보는 것이 아니고,

자, 맞춰볼까?

역사 전체의 과정을 체계적으로 설명하면서 전체적인 연관성을 밝혀내려는 것이지.

다 됐다!

이렇게 보면 역사철학은 역사 그 자체를 이해할 수 있는 방식과 원리를 연구하는 학문이란다.

우와, 뭔가 대단한 걸요!

그럼, 멋진 학문이지.

이러한 역사철학에 대한 관심이 독일과 이탈리아에서는 상당히 컸던 반면, 영국과 프랑스에서는 별로 없었어.

우린 역사철학에 대해 관심이 컸어.

영국

독일

프랑스

이탈리아

나는 관심 없어. 역사철학이 뭐야?

왜 영국과 프랑스는 관심이 별로 없었어요?

음, 그럴 만한 이유가 있지.

이러한 관심의 차이는 각 나라별로 학문을 연구하는 태도와 방식에 따라서 달라진단다.

우선 영국은 경험을 무엇보다 중요하게 생각했기 때문에,

경험해 보는 것이 가장 중요해!

경험으로 알 수 없는 것에 대해서는 상당히 부정적인 태도를 보였단다.

과거의 일들은 따로 경험할 수 없으니 관심이 없었던 거지.

사람이 직접 눈으로 보고, 수집해서 관찰하고, 조사할 수 없는 것에 대해서는

어디, 역사를 조사해 볼까?

역사는 그렇게 조사할 수 없어.

옳고 그름을 확실하게 알 수 없다고 생각한 것이지.

그럼, 어떻게 조사하라는 거야?

뭐?

그런 영국 사람들에게 역사철학은 너무나 막연해서 실제 역사와는 아무 상관없이 생각 속에서 만들어지는 학문으로 보였단다.

보이지도 않고 경험할 수 없는 학문이 역사철학이라네.

아니, 그런 것도 학문인가?

역사철학을 연구하느니 차라리 다른 학문을 해야겠네.

프랑스는 경험주의 방식을 주장한 것은 아니지만,

우린 영국 사람과는 달라.

자연과학적 합리주의를 바탕으로 하는 학문이 발전했기 때문에

우연적인 것을 배척하고, 이성적·논리적·필연적인 것을 중시하는 태도가 합리주의야.

역사철학에 대한 관심은 영국과 마찬가지로 크지 않았지.

역사철학은 합리적인 것 같지 않아.

프랑스 대표적 철학자 데카르트처럼

나는 생각한다. 고로 존재한다.

진정한 지식은 과학적 방법을 통해서만 얻을 수 있다고 생각했거든.

검증되는 것이야말로 진정한 지식이지.

자, 그럼 이제부터 본격적으로 역사철학에 관한 이야기로 들어가기로 하자.

그러면 먼저 칸트를 만나보기로 할까?

시계보다 더 정확한 철학자 칸트

칸트는 어떤 분인데요?

그렇구나. 참, 칸트는 오늘 처음 만나는 거지?

마침 칸트가 우리를 위해 직접 역사철학에 관한 이야기도 해주겠다니, 큰 행운이지 뭐냐.

칸트에 대해 소개하자면….

험, 험!

칸트는 시계처럼 아주 정확하고 규칙적으로 생활했는데,

음, 산책 시간이로군!

이러한 습관 때문에 아주 유명한 이야기가 있단다.

칸트는 정확하게 산책 시간을 정해놓고, 꼭 그 시간에 산책을 했기 때문에

선생님, 안녕하세요.

네, 안녕하세요.

마을 사람들은 이 시간에다 시계를 맞췄다는구나.

자, 시간을 맞춰 봅시다.

그런데 칸트가 산책 시간을 못 맞춘 일이 평생에 딱 두 번 있었는데,

두 번이나 칸트가 안 나오다니!

뭔 일 난 거 아냐?

한 번은 프랑스혁명에 관한 기사를 읽다가 그랬고,

프, 프랑스 혁명?

또 한 번은 루소의 책을 읽다가 그랬다는 거야.

호오~ 아름답고 의미 있는 표현들~

게다가 칸트는 평생 자신이 사는 마을을 떠나지 않고,

나는 이 마을이 좋아!

강의하는 것을 빼고는 남에게 먼저 말 거는 법이 절대 없었다고 해.

선생님은 수업 외엔 절대 우리에게 말을 걸지 않으시네.

평생 독신으로 살면서 친구 만나는 일도 없이 조용하게 책을 읽고

인터넷이 되었어도 책만 읽었을 거야.

글 쓰는 연구 생활을 했는데,

글을 아주 복잡하게 쓰는 것으로 유명했지.

선생님의 생각도 사실 이해하기 쉬운 것은 아니지…

으, 어려워!

그렇다고 해서 칸트가 불친절한 사람은 아니란다.

조심해야지.

으앙~!

고맙습니다.

자, 그럼 칸트를 직접 만나볼까?

여러분, 반갑습니다. 내가 바로 칸트라오.

안녕하세요~!

나에 대해 알고 싶어하는 사람들이 있다고 해서 기분이 아주 좋습니다.

이런 일은 예전이나 지금이나 드문 일이거든요.

나와 나의 책에 대해 사람들이 이해하기 어렵다고들 하는 것도 잘 알고 있다오.

도대체 무슨 소리야?

조용해 봐, 다시 읽어봐야겠어.

그래서 오늘은 내가 나를 소개하기로 마음먹었어요.

뭐, 나에 대한 이런저런 소문들이 있지만 그런 것들은 별로 중요한 것이 아니지요.

칸트는 나의 성이고 내 이름은 임마누엘인데,

임마누엘이 내 이름 이라오.

어찌된 일인지 사람들에게는 내 성만 알려져서 내 이름이 무엇인지 아는 사람들이 많지 않아요.

임마누엘?

영화 이름이잖아.

내 이름 이라고요.

나는 동프로이센이라는 나라의 쾨니히스베르크에 있는 평범한 가정에서 1724년 4월 22일에 태어났어요.

응애, 응애!

여러분보다 나이가 꽤 많지요? 허허.

지금까지 살아계시면 거의 삼백 살이네요.

뜨아!

그래서 여러분에게 나를 소개하는 일이 더 영광스럽군요.

오래전 과거의 사람임에도 입에 오르내릴 수 있으니 말이죠.

내가 아주 사랑했던 고향은 그 후 칼리닌그라드라는 러시아 이름의 도시로 바뀌었지요.

아버지는 말[馬]에 필요한 수공업을 하셨는데, 가정은 그리 넉넉하지 않았어요.

우리 아들 왔구나!

아빠~

게다가 나는 아주 경건하고 엄격한 교육을 받고 자랐지요.

손 씻고 밥 먹어야지.

네!

내 고향에서 1740년부터 대학을 다녔는데, 이때 공부를 아주 많이 했어요.

이제 대학생이라고~!

대학

신학, 철학, 수학, 자연과학 등을
열심히 공부했고,

나의 스승이 영국의 자연과학에 깊은 관심을 가져,
나도 자연스럽게 뉴턴의 물리학까지 배우게 되었답니다.

난 현대 물리학에
많은 영향을
미쳤어.

1. 관성의 법칙
2. 가속도의 법칙
3. 작용·반작용의
   법칙

와아~

난 공부하는 것이
정말 좋았어요.

저도
공부가
좋아요.

윽, 나는
운동이 더
좋은데….

그래서 대학에 남아 연구를
계속하고 싶었는데, 아버지가
돌아가셔서

자네 아버지께서
돌아가셨다네.

뭐라고?

대학 연구생활을 그만두고 도시
근교에서 가정교사를 시작할 수밖에
없었지요.

오늘부터
너를 가르쳐주실
선생님이시다.

그 당시에는 가정교사를 해서 생활비를 버는 것이
공부하는 사람들에게는 자연스러운 일이었거든요.

안녕하세요.

안녕, 나는
칸트란다.

난 공부를 더 열심히 계속해서 1755년에
박사 학위를 받고, 같은 해에 교수자격 시험에
합격했어요.

수고했네!

감사합니다.

독일은 대학에서 교수로
활동하려면 교수자격 시험을
통과해야 하는데,

드디어
자격 시험을
통과했어.

이게 그리 만만한 시험이
아니거든요.

윽,
코피가….

아무튼 그렇게 해서 비록 강사이기는
하지만 대학에서 첫 강의를 시작했고,

오늘 첫 강의를
하게 된 칸트입니다.

그 후 41년 동안을 대학에서 가르쳤답니다.

그러니 일생 동안 공부와 멀어져 본 일이 없다고 할 만하지요?

어쩐지 여러분이 나를 공부벌레로 보는 것 같은데…. 하지만 나는 공부 말고 달리 할 일이 없었지요.

게다가 저는 공부가 제일 좋았고요.

사람들은 내가 고향을 한 번도 안 떠난 것을 가지고 이러쿵저러쿵 하는데 왜들 그러는지 참 모르겠군요.

여기에 꿀 발라 놨나?

왜 이 마을에서만 살려고 할까?

나는 그저 고향을 떠나고 싶지 않았어요.

그 당시에도 요즘처럼 많은 사람들이 여행하기를 즐겼고, 외국에 나가 공부하는 것을 중요하게 생각했지만,

멀리 떠나 세상을 경험하는 것은 중요한 일이야.

나는 내가 태어나고 자란 고향에서 공부하고 연구하기를 원했지요.

집이 최고야!

띠리링

여보세요.

그래서 좋은 일자리가 생겼어도 고향을 떠나 다른 도시로 가고 싶은 마음이 조금도 없었어요.

아, 거긴 집에서 너무 머네요. 죄송합니다.

에어랑엔이라는 도시의 대학에서 철학 교수 자리를 주겠다고 했지만 거절하고 고향에 남았지요.

내가 여러분에게는 바보처럼 보이나요?

그랬더니 이번에는 예나라는, 학문의 전통이 아주 깊은 대학에서 교수 자리를 주겠다고 하더니,

아, 죄송합니다. 거기도 너무 머네요.

그 다음에는 베를린대학에서도 나를 초청했지요.

하지만 이번에도 역시 가고 싶지 않았어요.

그러다가 쾨니히스베르크대학에서 마침내 기다리던 소식이 왔습니다. 고향의 대학에서 철학교수로 와 달라는 것이었어요.

네, 당장 출근할게요!

그때가 1770년이었으니까 내가 46세였어요.

야호!

아주 늦은 나이에 원하던 일자리를 얻은 게 뭐 그리 대단하냐고요?

글쎄요, 나이가 많다고 해서 자신이 원하고 중요하게 생각한 일을 하는 것이 쓸데없는 일일까요?

샤라라~

나이가 많든 적든 자신의 꿈을 이루는 것은 행복한 일이 아닐까요?

아무튼 나는 이때부터 나의 중요한 연구 활동을 본격적으로 시작했어요.

그리고 그동안 꾸준하게 준비해온 연구를 바탕으로 대표적인 책들을 세상에 내놓았지요.

그게 오늘날 세상 사람들이 나의 대표작이라고 부르는 것들이랍니다.

이 책들입니다.

도덕형이상학 원론

순수이성비판 1781

실천이성비판 1788

도덕형이상학 1797

이성의 영역 안에서의 종교 1793

어? 뭔가 이상한데?

역사철학에 관한 책은 없는데요?

음, 아주 예리하고 정확한 지적입니다.

사실 나는 역사철학에 대해서는 책으로 낸 적이 없답니다.

앗? 그래요?

그런데도 사람들이 역사철학에 관한 이야기가 나오면 나의 이름을 꺼내는 것은,

두 가지 이유 때문이라고 생각합니다.

하나는 역사철학에 대한 나의 생각이 여러 철학 논문 속에 포함되어 있고,

논문 논문 논문

이 내용이 역사철학에서 매우 중요한 개념이 되었기 때문이지요.

그리고 두 번째 이유는 뭐, 자랑은 아니지만,

나의 철학이 다른 역사철학자들에게 매우 큰 영향을 주었기 때문이랍니다. 후후후후!

특히 역사철학의 대표자인 헤르더와 헤겔에게 큰 영향을 주었으니

오, 칸트의 책을 보니 이런 생각이 가능하군요.

이만하면 내가 그리 허풍 떠는 것은 아니지요?

그런데 어떤 사람들은 헤르더가 나의 제자이기는 하지만,

안녕하세요, 선생님.

오, 헤르더~

역사철학에 있어서만큼은 헤르더가 먼저 앞서 있고 오히려 나에게 자극을 주었다고 말하기도 한답니다.

어떻게 된 일이냐고요?

헤르더가 내 제자이기는 하지만 역사철학에 관한 책을 먼저 써서 세상에 내놓았고,

선생님, 역사철학에 관한 저의 책입니다.

그런가?

스승인 내가 그 책에 대한 평을 썼으니까요.

음, 이런 부분은 다르게 생각하는 것이 좋을 것 같은데….

누가 먼저 책을 냈느냐 하는 것을 중요하게 생각하는 사람들이 역사철학에 관해서는 헤르더가 먼저라고 말하는 것도 무리는 아니지요.

당연히 책을 먼저 냈으니 헤르더가 먼저지.

나도 그렇게 생각해.

역사철학에 있어서만큼은 분명히 제자가 먼저 책을 출간했으니까요.

그리고 역사철학은 나의 전체 철학에 있어서 일부라고 보아야 합니다.

역사철학에 관한 나의 핵심적인 사상은 위에서 소개한 책들보다는 두 편의 논문과

〈세계시민적 관점에서 본 보편사의 이념〉 (1784)

〈추측해본 인류 역사의 기원〉 (1786)

그리고 헤르더의 역사철학에 대한 서평에 잘 나타나 있지요.

〈헤르더의 인류역사의 철학에 대한 이념들〉 (1785)

우리가 알고 싶은 것은 당연히 인간의 역사가 아닐까요?

여러분은 어떻게 생각하나요?

나는 자연과 인류의 역사를 구분하고 사람들이 주인공이 되는 인간의 역사에 대해 책에 이렇게 썼지요.

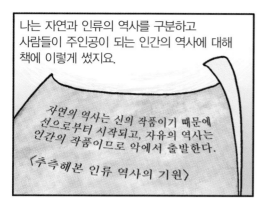

자연의 역사는 신의 작품이기 때문에 선으로부터 시작되고, 자유의 역사는 인간의 작품이므로 악에서 출발한다.
〈추측해본 인류 역사의 기원〉

내가 생각하는 인류의 역사는 사람들이 자연 상태에서 벗어나 점점 이성의 능력이 커지는 것에 따라 발전해 나가는 과정입니다.

사람이 자연 상태에 있다는 것은 판단을 제대로 하지 못한다는 뜻이고,

따라서 선악의 구별도 없다고 할 수 있지요.

아라라

으악! 살려줘!

반대로 사람이 이성을 갖는다는 것은 스스로 생각하고 판단해 결정하는 것을 말합니다.

호랑이 굴에 끌려가도 정신만 차리면 살 수 있어!

스윽

그래서 무엇이 옳은 일이고, 무엇을 해야 하며

옳지, 다 됐다!

싹둑

하지 말아야 하는지를 자기 스스로 알 수 있다는 것을 말합니다.

아직은 때가 아니야. 감시가 허술할 때 도망가자!

자유의 역사가 악에서 시작한다는 것은 자유가 악한 일과 관계있다는 것이 아니고,

우린 서로 관계없다고!

자유

악

악이 무엇인지를 안다는 의미이지요.

하지만 난 네가 어떤 놈인지 알고 있어.

흥!

자유

악

자신이 직접 알려고 하는 마음이 자유를 주장하는 것이기 때문에 여기서 '자기 스스로'가 굉장히 중요합니다.

자유

나 스스로가 굉장히 중요해!

왜냐하면 남의 명령에 의해서, 또는 어쩔 수가 없어서 억지로 어떤 결정을 하거나 행동을 한다면

엄마가 시켜서 사과하는 거야. 미안해.

야, 그게 사과하는 태도야?

척

그것은 자신의 이성을 사용한 행동이 아니기 때문입니다.

이러한 행동은 자신의 자유의사에 의한 것이 아니라는 뜻이죠.

어쩌라고!

너의 이성을 사용해서 사과해!

이렇게 볼 때 역사는 사람들이 자신의 자유로운 의지와 판단을 통해 만들어가는 것이라고 나는 생각한답니다.

자유롭게 만들어보자!

각자 알아서 만들어.

그러니까 인류의 역사는 사람들이 주체적으로 만들어가는 과정이고 창조하는 것이지요.

좋아, 완성!

수고했어!

역사

그러나 자연과 역사가 서로 단절되었거나, 상관없다는 뜻은 절대로 아닙니다.

오히려 이 둘은 서로 완전하게 떼어서 생각할 수 없는 유기적인 관계를 맺고 있습니다.

사람은 처음에 자연 상태에서 출발해

점차 자신들의 역사를 만들어가며 문화를 발전시킴으로써 자연 상태를 벗어났기 때문이지요.

그러니까 사람은 역사를 발견하는 것이 아니고, 스스로 만들어가는 것이랍니다.

역사

그렇지만 자연은 사람들이 만들어낼 수가 없지요.

흙을 만들어볼까?

그걸 어떻게 만들어요? 크!

그러니까 자연은 본래 있는 것으로, 사람들에게 자연은 지혜와 지식을 얻는 세계이고,

역사는 사람들이 자신의 생각을 실천하고 행동하는 무대라고 생각하면 됩니다.

요! 나는 깨달음을 얻었네. 이제 실천할 때네!

역사

내가 말하는 자연을 간단히 설명하자면, 우선 원인과 결과가 서로 어긋나지 않는 인과법칙으로 움직이는 현상을 말합니다.

밥을 먹으면 화장실을 가는 것과 같은 거야.

화장실

심지어 자연은 스스로 자기가 목적을 가지고, 그 목적을 이루려고 노력합니다.

나는 노력파야!

자연

자연이 목적을 가진다는 뜻은

자연은 어떤 일도 아무런 이유 없이, '그냥 쓸데없이 하지 않는다는 것을 말합니다.

그리고 자연이 목적을 가지고 그 목적을 위해 움직인다는 말은, 자연이 창조한 모든 것에 이 원칙이 적용되는 것을 뜻하게 되겠지요?

우리 모두 목적이 있다?

바로 여기가 오늘 말하려는 역사철학과 밀접한 관계가 있는 중요한 대목이랍니다.

자연의 창조물인 인간 역시 자연의 법칙에 따라 목적을 가진 존재로,

이 목적을 실천에 옮기도록 노력해야겠지요.

그럼 인간이 가진 목적이 뭔가요?

이제 그걸 알아볼까요?

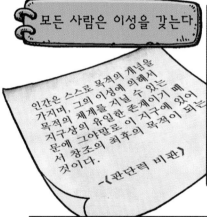

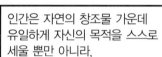

인간은 자연의 창조물 가운데 유일하게 자신의 목적을 스스로 세울 뿐만 아니라,

내일은 반드시 4시에 일어나서 아침 공부 해야지!

목적의 전체적인 것을 생각할 수 있는 특이하고 유일한 존재이므로,

그러기 위해서는 시계를 맞춰 놓고 편하게 자야 해.

자연이 만들어낸 것들 가운데서 가장 뛰어나다 할 수 있습니다. 인간을 통해 비로소 자연은 창조를 완성하게 되는 것이지요.

인간이 바로 넘버 원!

그러니까 인간은 자연이 만들어낸 최고의 작품이라고 말할 수 있지요.

최고의 작품상, 인간!

그러면 어떻게 해서 인간은 자연의 최고 작품이 되었나요?

인간이 스스로 목적을 세우는 능력은 어떻게 가지게 된 건가요?

그것의 비밀은 '이성'이라고 하는 것입니다.

즉 스스로 생각하고 판단하며 나아가서 행동하는 능력이지요.

자연은 인간에게 이성을 주었고, 인간은 이성을 통해서 우주의 주인이 될 수 있는 것입니다.

인간이 우주의 주인이야!

자연계에는 인간만이 아니라 많은 생물들이 있지만

자신의 목적을 세우고, 그 목적을 달성하기 위해 노력하는 존재로는 인간이 유일하지요.

열심히 공부해서 좋은 곳에 가야지!

그리고 바로 그 힘은 이성에서 나오는 것입니다.

이 이성이 있기 때문에 인간은 목적을 세울 수 있는 거예요.

이성의 힘으로 이제 사람들은 자연 상태를 벗어나,

드디어 벗어나는 구나!

마음 내키는 대로 행동하던 것을 멈추고,

다 부숴 버리겠…

멈칫

자신이 하는 일이 어떤 의미가 있고, 어떤 결과를 가져오게 될까를 생각하면서 행동하게 된 것이랍니다.

뭐, 기분대로 할 필요 있나.

잘못 건드려서 걸리면 내 손해야.

예를 들면 지금 당장은 숙제나 공부 대신 친구들과 놀거나 컴퓨터 하고 싶은 마음이 들어도,

으, 밖에서 놀고 싶어!

어랏!

여러분이 그렇게 하지 않는 이유는 단순히 야단맞는 것이 무서워서가 아니라

놀고 싶어하면서 용케 숙제하고 있네?

그, 그럼!

그렇게 하면 안 된다는 것을 알기 때문에 참는 것이 이성적인 행동이라고 여겨서입니다.

나는 이성적인 사람이니까.

뭐?

그런데 자연은 목적을 가지고 무슨 일을 한다고 말하려면, 자연이 인간에게 이성을 선물한 이유도 분명히 있지 않을까요?

자, 선물!

자연

이성

왜 이성을 저에게 선물한 건가요?

이성은 단순히 자신의 이익이나 일시적인 편리함을 생각하는 데 사용하는 것이 될 수 없답니다.

오히려 불편하지요.

이성

왜냐하면 그러한 이성은 수단에 불과하니까요.

인간의 이성은 그 자체로서 목적이라는 뜻입니다.

그러니까 인간에게 이성이 주어진 이유는 인간만의 행복과 발전을 위해서가 아니고,

전 세계와 우주를 생각하고 실천에 옮겨야 한다는 뜻이라고 보아야 합니다.

작은 일이지만 이런 일을 실천해서….

이성이라는 것은 더 나은 것, 더 좋은 것, 그리고 전체를 생각하는 힘이니까요.

자연의 훼손을 막아야 해.

그럼!

그래서 어느 한 부분이나, 어느 한쪽만을 생각하거나 대변하는 것은

인간사회의 발전을 위해 자연의 훼손은 어쩔 수 없습니다.

이성의 뜻을 배반하는 것이 되지요.

저 사람처럼 한쪽만을 생각하는 것은 이성을 거스르는 거야.

쳇!

이성적인 생각과 행동은 사람다운 것이란 어떤 것일까를 생각하고,

어떻게 행동하고 사는 것이 사람다운 것일까?

남들과의 관계를 생각하면서 스스로 도덕을 실천하는 모습에서 나타납니다.

쓰레기를 바닥에 함부로 버리면 안 되지!

미안!

그래서 이성이라는 것은 다른 사람이 강요하거나, 시켜서 하는 것이 아니고 자신의 생각에 의해 움직이는 것입니다.

누가 시켜서가 아닌 나 스스로 옳다고 생각하고 움직이는 것! 그게 이성적인 일이야.

다른 사람이 강제로 하라고 해서 하는 일은 오히려 자신이 이성적이지 못하다는 것을 보여주는 증거라고 봐야 합니다.

어서 일해!

강압적으로 일을 하는 나를 이성적이라 할 수 없지.

다시 말하면, 이성이라는 것은 자유와 밀접한 관계가 있다는 뜻입니다.

자유 이성

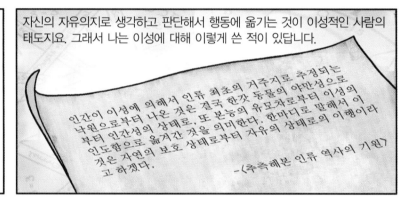

자신의 자유의지로 생각하고 판단해서 행동에 옮기는 것이 이성적인 사람의 태도지요. 그래서 나는 이성에 대해 이렇게 쓴 적이 있답니다.

인간이 이성에 의해서 인류 최초의 거주지로 추정되는 낙원으로부터 나온 것은 결국 한갓 동물의 야만성으로부터 인간성의 상태로, 또 본능의 유모차로부터 이성의 인도함으로 옮겨간 것을 의미한다. 한마디로 말해서 이것은 자연의 보호 상태로부터 자유의 상태로의 이행이라고 하겠다.

－〈추측해본 인류 역사의 기원〉

이성을 인간의 특성이라고 한다면, 이성의 특성은 자유의지라고 말하고 싶군요.

따라서 인간은 자유의지를 가지고 있답니다.

인간이 아무것도 할 필요도 없고, 걱정 없이 살 수 있는 낙원을 떠난 것은 실수일까요?

에덴을 떠난 것이 과연 실수라고 생각해?

낙원에서는 특별히 일을 하거나, 고생하며 이것저것 배울 필요 없이 생활할 수 있는데,

아하하

아하하하하하!

여러분은 그들이 왜 그곳을 떠났는지 모르나요?

그래요, 낙원에서 사는 조건은 단 한 가지, 복종뿐이었지요.

에덴 동산 중앙에 있는 선과 악을 알게 하는 열매는 먹지 마라.

네, 하나님!

인간은 왜 그것을 거부하고, 스스로 고생길을 택한 것일까요?

그 이유는 자유입니다.

복종 대신 자유를 원했고, 자기 스스로 주인이 되어, 직접 결정하고 판단하고, 무슨 일을 하든지 해야 하기 때문이 아니라, 자신이 원해서 하는 생활을 하고 싶었기 때문이었지요.

쩍─

그 선택으로 인해 일하는 고통을 얻게 되더라도 말이야.

물론 이렇게 스스로 알아서 하려면 책임도 져야 하니까 쉬운 일이 아니지요.

아, 힘들구나!

때로는 걱정도 되고 무섭기도 하고, 또 귀찮기도 한 일이 틀림없지요.

그래서 스스로 하기로 한 것을 후회하는 경우도 있을 수 있겠지요.

여보, 에덴에서 떠난 것을 후회해요?

좀 후회가 되긴 해요.

왜냐하면 사람들은 자기가 선택한 일은 어쩔 수 없이 책임을 져야 하니까요.

하지만 우리는 우리의 선택에 책임져야 해요. 전 괜찮아요.

그렇지 않으면 자신이 스스로 결정한 일을 누가 대신 책임지겠어요?

그래요. 함께 헤쳐 나갑시다.

네….

그래서 이성은 자유를 바탕으로 하고, 자유로운 의지로 움직이지만,

그렇다고 해서 자기가 하고 싶은 대로, 마음대로 하는 것을 말하는 것이 아니지요.

자, 한번 생각해보세요. 어떤 사람이 자신에게도 피해를 주고,

앗!

어이쿠!

남에게도 좋지 않은 일을 하려고 한다면,

뭘 봐? 이 녀석들아!

헉….

이성적이라고 할 수 없지 않겠어요?

나는 이성적인 사람이라네~♪

어디가 이성적이야?

그래서 이럴 때 우리는 '정신이 나갔다.'고 하지요.

어이쿠!

정신 나갔군!

톡

이 말은 우리 생각과 행동이 이치에 맞지 않고, 결과에 대해서 생각 없이 행동한다는 뜻이지요.

누가 내 발을 자꾸 거는 거야?

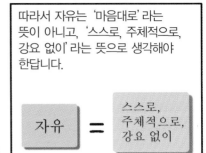

따라서 자유는 '마음대로'라는 뜻이 아니고, '스스로, 주체적으로, 강요 없이'라는 뜻으로 생각해야 한답니다.

자유 = 스스로, 주체적으로, 강요 없이

그리고 의지란 자신의 뜻을 세우는 것이니,

웃챠!

의지

자유의지란 결국 자신의 마음으로 결정한 뜻이고 목표가 되겠지요.

자유는 그래서 지키기도 어렵고, 실천하기도 힘이 들지만, 그러나 한번 자유를 알게 된 사람은

노예에서 해방되어 자유를 알게 된 나는….

자유를 포기하고, 자신의 의지를 억누르고 사는 쪽으로 다시는 돌아가려 하지 않는답니다.

다시는 노예가 되지 않을 것입니다. 결코 자유를 포기하지 않을 거예요.

자, 그러면 이제 역사철학에 대한 이야기를 마무리할 때가 되어가는 것 같군요.

벌써요?

나는 사람들의 의지가 밖으로 표현된 것이 행동이고,

나는 축구선수가 될 거야.

나는 훌륭한 변호사가 될 거야.

이러한 행동이 쌓여서 모아진 것이

역사라고 말하고 싶습니다.

하지만 사람들의 모든 행동이 곧 역사적인 것은 아니에요.

우리 주변에는 실망스러운 행동을 하는 사람도 있고, 나쁜 짓을 하는 사람도 있다는 것을 나도 잘 알고 있습니다.

어이쿠, 걸렸네.

내가 말하는 뜻은 개인이 자신의 이익을 위해서 하는 부끄러운 행동이나, 앞뒤가 안 맞는 행동으로 남에게 피해를 주는 것까지 포함하는 것이 아닌 것을 알아야 합니다.

다들 엎드려!

저런 행동들이 역사적일 수는 없다는 겁니다.

역사는 인류 전체의 입장에서 본다면 점점 발전하고, 더 나은 쪽을 향해 나아가고 있습니다.

대한민국 민주화를 위하여!

국민의 자유를 위하여!

광주시청

그래서 지금 당장은 옳지 않아 보이거나, 거짓으로 보이는 것도

저놈들은 빨갱이다. 다 잡아 죽여!

역사의 흐름 속에서 진실이 드러나고, 옳은 일로 밝혀지고, 또 당연히 밝혀져야 한다는 것이죠.

그들은 간첩이 아니었습니다. 단지 민주화를 위해 일어난 것이죠.

그래서 역사를 눈앞에 놓여 있는 것만으로 생각하면 아무런 원리나 규칙도 없이 아무렇게나 흘러가는 것처럼 혼란스럽게 보일 수도 있지요.

아, 왜 이렇게 나무들이 마구잡이로 난 거야?

하지만 멀리 내다보면 인간이 이성과 자유의지로 스스로 만들어가는 역사는 자신들의 자유의지를 완전하게 펼치고 또 가장 좋은 모습으로 실현하려고 애를 쓰는 것이 당연하지요.

무슨 소리야, 나무들 덕분에 이렇게 아름다운 숲이 이루어졌는걸.

그래서 역사는 우리 눈에는 잘 안보이지만, 규칙적인 법칙에 따라서 나가고 있지요.

그렇군요.

우리가 쉽게 생각할 수 있는 예를 들어볼까요? 친구 한 사람이 연말에 아프리카 어린이를 위한 후원금을 내려고 계획을 세웠다면, 미리 준비하고 방법을 연구해야겠지요?

저 아이들을 위해 후원금을 내려면 어떻게 하지?

그래서 용돈을 아껴 모으기로 결심했다고 생각해봐요.

우선 용돈을 쓰지 말고 모으자!

그런데 평소와 다르게 친구들과 군것질을 하거나 놀이 하던 것을 줄이고,

야, 오늘 떡볶이 먹자!

미안, 나 도서관에 가야 해서 먼저 갈게!

그 대신 도서관에서 아프리카에 대한 책을 읽는다면,

음, 아프리카는 정말 재밌는 곳이구나.

많은 친구들이 오해할 수도 있고, 섭섭해 할 수도 있지요.

뭐야? 저 녀석!

쳇, 지가 언제부터 공부를 열심히 했다고.

하지만 연말에는 목적을 세운대로 기분 좋게 후원금을 보내 멀리 사는 어려운 한 친구가 학교를 잘 다니는 데 도움을 줄 수 있다면,

선생님, 제가 용돈을 모아서 후원금을 마련했어요. 아프리카 아이들에게 보내주고 싶은데 어떻게 하죠?

그래? 훌륭하구나!

와아~

친구들의 오해도 풀려서 그 다음은 더 많은 친구들이 함께 동참할 수도 있지요.

뭐야? 그런 이유 때문이었으면 진작 말을 하지.

그, 그게….

맞아!

물론 역사는 실제로 이보다는 훨씬 복잡하고 이해하기 어려운 모습으로 나타나지만,

내가 말하려고 하는 것은, 이렇게 역사는 자신의 목적을 위해 때로는 사람들이 알 수 없는 방향으로 가기도 하지만,

나도 너희들을 속이려고 한 것은 아니고….

결국에는 올바른 방향을 향해서 발전한다는 것입니다.

나도 같이 도와주고 싶어.

나도 동참해주지!

응, 고마워!

그리고 이러한 역사가 향하는 목적은 앞에서 말한 자연이 원하는 목적과 같답니다.

우리의 목적은 같습니다.

역사

자연

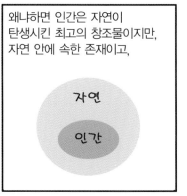

왜냐하면 인간은 자연이 탄생시킨 최고의 창조물이지만, 자연 안에 속한 존재이고,

자연

인간

인간은 이성을 사용하고 자유를 선택할 만큼 주체성이 강하지만,

자유가 아니면 죽음을!

와아!

이성 또한 자연이 인간에게 허락한 특징이지요.

이봐, 이성을 준 것은 나라고!

알고 있어.

자연

그러니까 인간의 이러한 이성적 소질은 자연에서 온 것으로, 자연의 계획에 따른 것이라는 뜻이 됩니다.

자연

내가 이성을 인간에게 준 것은 다 계획이 있어서야.

그래서 자연은 인간을 통해서 자신의 목적을 이루고, 인간은 역사를 만들어가면서 자신의 뜻을 행동에 옮기게 되는 것이지요.

자연

흔들

흔들

역사

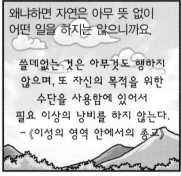

왜냐하면 자연은 아무 뜻 없이 어떤 일을 하지는 않으니까요.

쓸데없는 것은 아무것도 행하지 않으며, 또 자신의 목적을 위한 수단을 사용함에 있어서 필요 이상의 낭비를 하지 않는다.
－《이성의 영역 안에서의 종교》

역사의 목적은 자연의 목적을 실현하는 것입니다.

너의 목적은 나의 목적과 같아.

응!

자연

역사

여기서 중요한 것을 두 가지로 정리할 수 있겠군요.

우선 자연의 뜻을 잘 구분해야 한답니다.

먼저 여기서 말하는 자연은 우리가 흔히 눈으로 보는 자연현상이 아니고,

콰쾅

자연과 우주를 움직이는 원리와 법칙으로 알아야 한답니다.

그리고 인간이 그냥 아무런 고민도 없고 생각도 없이 살면서 역사를 창조할 수 있었던 것이 아니고, 많은 어려움이 있더라도 스스로 자유를 선택하면서,

이것들이 어디서 게으름을 펴!

크윽! 이건 잘못된 거야.

짝!

선과 악을 구별하고 더 나은 것이 무엇인가를 알려고 함으로써,

우리에게 자유를 달라!

자연의 목적을 달성하는 주인공이 된 것이지요.

그냥 그대로 주어진 여건 속에 만족해, 더 좋은 세상을 꿈꾸지 않았다면,

이렇게 사는 것이 제일 좋은 거야.

자연은 인간을 통해서 자연의 목적을 이루어나갈 수 없을 테니까요.

자연

이봐, 참고 살라고 이성을 너희에게 준 것이 아니라고.

이런 뜻에서 역사는 한 개인의 마음대로 되는 것도 아니고,

이제 새로운 역사가 창조될 것이야. 크하하하!

자연의 의도를 거부하고 사람들의 욕심을 채우는 무대가 될 수 없다는 것을 아는 것이 중요합니다.

야, 왕 나와!

도대체 세금을 왜 그리 가져가는 건데?

크윽! 왕이라고 해서 내 뜻대로 다 되는 것은 아니구나.

인간에 있어서(지상에서 유일한 이성적인 피조물로서) 그의 이성의 사용을 지향하는 그러한 자연적인 소질은 개인에 있어서가 아니라 유(類)에 있어서 완전하게 개발될 수 있다.
- 세계시민적 관점에서 본 보편사의 이념

무슨 말인지 좀 어렵죠?

이 말의 뜻은 이성이 완전하게 성숙한 상태는 어떤 한 사람이 아주 뛰어난 이성을 갖추었다고 해서 되는 것이 아니고,

무슨 말도 안 되는 소리야.

우리는 모두 평등합니다. 더 이상 사람 간에 계급이 나누어져서는 안 됩니다.

바보 아냐?

인류 전체의 입장에서 생각해야 한다는 것이에요.

크윽, 모든 사람들의 이성이 성숙하려면 아직 멀었어!

그래서 이 세상 모든 사람들에게서 이성이 충분히 발달하기까지는 긴 시간이 걸리고, 또 국가나 민족마다 발달하는 속도도 서로 다르겠지만, 중요한 것은, 누구에게나 이성적인 능력이 있다는 것입니다.

사람은 평등해.

이제야 이해하기 시작했구나.

귀족이나 노예나 똑같이 사람이야.

그래서 혹시 주변에 조금 남보다 생각이 느리거나, 엉뚱한 생각을 하는 사람이 있다고 해도

에디슨, 뭐해?

이 알을 부화시킬 거야.

그런 사람을 이성이 없는 사람으로 취급하는 것은 잘못이라는 것입니다.

이성적으로 생각해봐, 알이 부화되겠어?

으….

그리고 역사란 이러한 이성의 발전을 위한 노력과 시간들이 쌓여서 이루어지는 것입니다.

역사

역사의 목적은 특정한 개인의 성숙과 행복이 아니고, 인류 전체의 발전과 행복이기 때문입니다.

그래서 이런 말을 남겼지요.

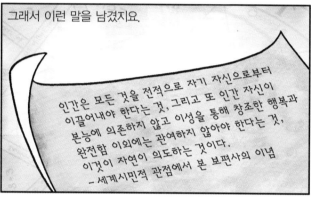

인간은 모든 것을 전적으로 자기 자신으로부터 이끌어내야 한다는 것, 그리고 또 인간 자신이 본능에 의존하지 않고 이성을 통해 창조한 행복과 완전함 이외에는 관여하지 않아야 한다는 것, 이것이 자연이 의도하는 것이다.
- 세계시민적 관점에서 본 보편사의 이념

이렇게 말한 중요한 이유는, 사람은 이성을 사용하되 주체적으로, 스스로 사용해야 한다는 것,

남이 시켜서 이성을 사용하는 것이 아닙니다.

그리고 모든 사람의 행복이 역사의 목적이지만, 또한 자연도 똑같은 것을 바란다는 것을 강조하기 위해서지요.

모든 사람의 행복이 나의 목적이야.

역사

자연

나도 사람들이 행복하길 바란다고!

따라서 처음에는 역사와 자연이 서로 다른 방향으로 가는 것처럼 보일 수도 있지만,

안녕~

자연

역사

사실은 역사와 자연의 목적은 따로 있는 것이 아니고 하나라는 뜻입니다.

자연

그렇다면 이성적인 삶이 모든 사람들이 안심하고 행복하고 건강하게 생활하는 삶을 위한 것이라면,

구체적으로 우리는 어떤 곳에서 그런 삶을 살 수 있을까요?

역사의 꿈은 평화로운 시민사회를 세우는 것이다

아이고, 내 새끼~

이제는 '자연의 뜻에 알맞은 역사의 목적은 무엇일까?'를 알아볼 시간이 되었군요.

이제 마지막 이랍니다.

그것은 간단하게 말하면, 모든 사람들이, 그러니까 인류 전체가

함께 악을 물리치고 사이좋게 사는 것이랍니다.

에이, 너무 간단하고 쉬운 일이죠!

그렇게 생각한다면 정말 다행입니다.

하지만 많은 사람들이 그런 세상을 꿈조차 꾸지 말라고 하니까요.

에? 정말요?

그런 세상은 결코 세울 수 없다는 것이지요.

그런 꿈 같은 세상이 쉽게 생길 것 같아?

앗!

그러나 나는 자연이 우리에게 특별하게 선물한

'이성'을 선물로 줄게.

고마워!

이성의 힘에 희망을 갖고, 역사의 발전을 믿는 사람입니다.

난 사람들에게 꿈을 주는 멋진 축구 선수가 될 거야.

나는 가난한 사람을 돕는 변호사가 될 거야.

그래서 사람들은 나를 낙관적인 계몽주의자라고 하기도 합니다.

그래, 너희들은 꼭 할 수 있어.

아직은 세계 곳곳에서 이성과는 거리가 먼 일들이 벌어지고 있지만,

너도 성인이 되었으니 여성할례*를 시행하겠다.

!!!

*할례 – 사람의 성기 일부를 절제 또는 절개하는 습속.

언젠가는 모든 사람이 사람다움이 무엇인가를 알고, 그것을 일상생활에서, 사회에서 그리고 국가에서 실제로 이룰 수 있을 것이라고 생각하기 때문이지요.

그런 세상을 위해서 자신을 이성적인 사람으로 생각하는 사람은

아프리카 여인들의 인권을 위해 나는 무엇을 할 수 있을까?

한비야

노력해야 하고, 또 행동으로 보여야 하겠지요.

그래, 우선 그들의 아픔을 세계에 알리는 거야!

이것은 선택이 될 수 없어요.

이성적인 사람이라면 행복한 세상을 위해 당연히 행동해야 합니다.

이성이라는 말 속에는 옳다고 생각하는 것을 행동으로 옮기는 것을 포함하니까요.

다다

이성

행동하지 않는 이성은 악이다.

사람의 이성은 특이하게도 머리만으로 아는 것에 만족하지 않고

뭐? 아프리카의 아이들이 굶어 죽고 있다고?

직접 행동으로 옮기는 면이 있거든요.

와아—

용돈을 아껴서 후원금을 아프리카에 보내 도움을 주겠어.

이것을 나는 '실천이성'이라고 부른답니다.

그래서 역사가 꿈꾸는 최고의 세상은 이런 세상이라고 생각해요.

자연이 인간으로 하여금 그 해결을 강요하는 인류의 가장 큰 문제는 보편적으로 법이 지배하는 시민사회의 건설이다.

– 세계시민적 관점에서 본 보편사의 이념

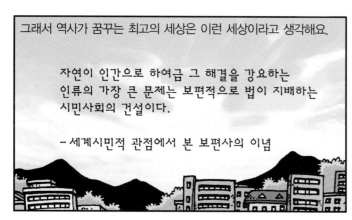

결국 자연도, 역사도

우리의 목적은 같아! 그것이 뭐냐하면….

자연 역사

사람들이 서로 힘을 합해 안심하고 평화롭게 살 수 있는 세상을 만드는 것을 목적으로 한다는 뜻입니다.

다시 말하면 폭력과 야만적인 거짓이 없는,

너희들이 가진 모든 것을 내놔라!

강도

정치가

너희들은 저리 꺼져!

으악!

그래서 질서와 법이 지켜지는 세상을 만들어가는 것입니다.

이제야 세상이 조금 깨끗해 진 것 같아.

응!

그렇게 할 때 자유가 보장되고,

나 잡아봐라!

거기 서~

자유가 보장되어야 인간의 특징인 이성이 성숙한 사회가 실현될 수 있기 때문이지요.

자유를 통한 성숙한 사회 실현

그렇지 않고 힘센 사람이, 또는 권력이나 돈을 많이 가진 사람이

흠, 우매한 백성들이 나서봐야 세상은 좋게 흘러 가지 않아.

아무리 능력이 있다고 해도 사회와 세계를 마음대로 한다면,

히히히히!

그것은 사람들이 살고 싶은 세계라 할 수 없지요.

어휴, 살기 싫어.

우리가 할 수 있는 것이 하나도 없는 사회야.

시민사회 건설이 중요하고 어려운 이유는

자유 때문입니다.

자유가 보장되어야 시민사회를 만들어 나갈 수 있지만, 사람들은 이기적인 면이 있기 때문에

흡연자는 담배 필 수 있는 자유가 있다고!

자신의 자유는 지키려 하면서 다른 사람의 자유는 무시하기 때문이지요.

우리 아이도 담배연기를 맡지 않을 자유가 있다고요.

음?

콜록 콜록

그래서 우리가 행복한 세상을 만들려면, 개인의 이익만을 생각해서는 안 되겠지요.

흠….

그러므로 법과 질서가 중심이 되는 사회는 다름 아닌 도덕이 실천되는 사회입니다.

법에 걸리진 않지만 끊을게요.

고마워요.

그리고 법과 도덕이 중심이 되어야 하는 것은 한 나라 안에서만이 아니라, 나라와 나라 사이에서도 마찬가지입니다.

부자 나라

가난한 나라

그렇지 않으면 작고 힘이 약한 나라는 늘 주변 강대국으로부터 위협을 받을 테니까요.

너희들 자원을 내놔!

흑

저희 쓸 것도 없어요. 흑흑!

내가 주장하는 올바른 국제 관계는

모든 국가가 (비록 작은 국가일지라도) 자신의 안전과 권리를 보장 받을 수 있는 관계라고 말하고 싶군요.

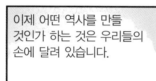

이제 어떤 역사를 만들 것인가 하는 것은 우리들의 손에 달려 있습니다.

역사

오직 사람만이 과거를 돌아보고, 현재를 판단하고, 미래를 내다보고 계획할 수 있으니까요.

이것으로 오늘 이야기의 끝을 맺겠습니다.

수고하셨습니다.

와아!

짝

짝

다음에 다시 만나면, 여러분은 그 사이 역사를 위해 어떤 노력을 했는지 듣고 싶군요.

'많은 노력을 했습니다.' 라고 말할 거예요!

구체적으로 어떤 노력을 했는지 말씀드려야지!

하하하!

헤르더

지난번 만났던 칸트 덕분에 역사철학에 대해 많은 것을 알게 되었지?

오늘은 헤르더라는 역사철학자에 대해 알아볼 거야.

네!

헤르더는 칸트의 제자이지만, 역사철학에 대해서는 칸트보다 먼저 책을 썼단다.

그리고 스승인 칸트가 제자 헤르더를 비판하는 글을 쓰기도 했지.

이건 잘못된 부분이 있다네!

이번에는 헤르더를 직접 만나 이야기를 들으려고 해.

그럼 이제 만나볼까?

여러분, 반갑습니다. 내가 헤르더입니다.

안녕하세요!

나의 스승 칸트가 먼저 여러분을 만나 좀 긴장이 되지만, 한편으로는 다행이다 싶기도 합니다.

왜요?

왜냐하면 여러분의 실력이 이미 상당한 수준에 이르렀을 테니까요.

아… 우선 나에 대한 소개를 해야겠지요?

내 이름은 요한 고트프리트 폰 헤르더(Johann Gottfried von Herder)예요.

사람들은 흔히 성만을 부르기 때문에 헤르더라고 말하지요.

나는 제2차 세계대전이 끝난 후, 소련과 폴란드로 나누어진 옛날 독일 땅 동프로이센의 작은 마을 모른겐에서 태어났어요.

참 평화롭고 조용한 곳이었죠.

아버지는 성당의 관리인이면서 여학교 선생님을 지냈어요.

투잡을 했지만 집안 형편은 그리 좋지 않았어.

하지만 부목사 집에 많은 책이 있어서 나는 그 책들을 마음껏 읽을 수 있었지요.

이때 읽은 책들은 성경, 고전과 근대 문학책 등으로 아주 많았지.

그 외는 특별한 일 없이 평범하게 어린 시절을 보내다가 대학을 가기 위해 고향을 떠났지요.

쾨니히스베르크로 가자!

그래서 1762년 여름, 칸트가 있는 쾨니히스베르크로 갔어요.

이때가 내게는 아주 중요한 시기였지요.

처음에는 대학에서 의학을 공부하다가 신학으로 바꾸었는데, 점점 철학에 흥미를 느끼면서

칸트의 강의에 빠져들게 되었지요.

칸트의 가르침! 그것을 어떻게 한마디로 말할 수가 있겠어요?

칸트 덕분에 비판철학은 물론이고

그 외에도 지리학, 인류학에까지 관심을 갖게 되었답니다.

이것이 밑거름이 되어 역사에 이름을 남길 수 있게 된 것이랍니다.

게다가 이렇게 다양한 공부를 하기 쉽지 않던 시기였어요.

탁

오늘 여러분에게 할 이야기는 역사철학에 관한 것이지만, 사실 나는 철학자로서만 활동한 것이 아니랍니다.

철학자, 목사, 신학자, 비평가, 교육자로도 활동했습니다.

아! 그 당시에는 많은 사람들이 그렇게 다방면으로 활동하지 않았냐고요?

날카롭군요. 사실 맞는 말입니다.

하지만 많은 사람들이 다 그랬던 것은 아니고, 소위 천재라고 불렸던 일부 사람들이 그랬다고 해야 더 정확한 말입니다.

에디슨 아인슈타인 칸트

이렇게 말하니까 내가 바로 천재 중에 천재라고 자화자찬하는 꼴이 된 것 같은데요.

왠지 싫은데요!

자, 그럼 다시 주제로 돌아갈까요?

내 관심은 문학과 언어 쪽으로 많이 기울어졌는데, 칸트의 절친한 친구인 하만*의 영향 때문이었지요.

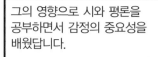

그의 영향으로 시와 평론을 공부하면서 감정의 중요성을 배웠답니다.

아, 정말 마음이 푸근해지는 거 같아.

그런데 이게 사실은 굉장히 특이한 일이라고 할 수 있어요.

왜냐하면 철학 공부는 이성의 중요성을 강조하는데, 특히 칸트철학은 더 그렇지요.

*하만(Johann G. Hamann 1730~1788) - 독일의 철학자·시인. 주로 편지와 단편적인 문장으로 예언적인 견해를 썼다.

철학을 하면서 동시에 감정을 중요하게 여긴다는 것은 드문 일이었으니까요.

하지만 나는 사람에 대해 제대로 알기 위해서는

어느 한쪽이 아니고, 양쪽 다 알아야 한다고 생각했어요.

그러다 나는 쾨니히스베르크를 떠나 리가라는 도시에서 가톨릭학교 보조 교사로 일하게 되었어요.

이 시기에 문학에 대한 관심을 바탕으로 1767년에 책을 출판했는데, 이 책으로 나는 문학 비평 분야에서도 중요한 위치에 서게 되었지요.

이외에도 미술에 관한 책도 한 권 썼지요.

리가에서 1764년부터 1767년까지 머물다가 프랑스와 독일의 여러 도시를 여행하기 위해 길을 떠났는데,

더 넓은 세상을 알아야겠어.

이 여행이 나의 미래를 결정하는 중요한 여행이었답니다.

긴 바다 여행을 할 생각이었어요.

이때 나의 운명에 대해 많은 생각을 했는데, 그때 난 이런 생각을 했어요.

아! 나는 이제 육지를 떠나 미지의 미래로 향하는 뿌리 뽑힌 존재구나.

그래, 앞으로 내가 할 일은 과거에 대한 공부를 통해 미래의 비밀을 밝혀내는 거야.

역사철학 강의

에이, 미래를 어떻게 알 수 있어요?

물론 미래는 누구도 알 수 없지요.

하지만 지나온 일들을 잘 이해한다면 미래가 어떻게 진행될 것이고 미래가 무엇인지, 미래란 어떤 것인지를 다른 사람들이 알도록 도와줄 수 있다는 생각이 들었거든요.

과거의 경험을 통해 미래를 예측할 수만 있다면 사람들에게 도움을 줄 수 있을 거예요.

음!

그래서 인류 역사의 기원과 진행 과정, 목표 등을 연구하기로 마음먹었답니다.

연구내용
① 인류 역사의 기원
② 인류 역사의 진행 과정
③ 인류 역사의 목표

좋았어!

참, 이 시기에 있었던 중요한 일을 하나 이야기할까요? 그것은 괴테와의 만남입니다.

나는 독일의 작가이자 철학자, 과학자이며, 한때 바이마르 공국의 재상이었죠.

괴테는 《파우스트》, 《젊은 베르테르의 슬픔》 등 수많은 작품을 쓴 세계적인 문호입니다.

어디선가 들어본 것 같은 제목들이야.

너네 집 책장에도 있거든!

바로 그를 슈트라스부르크라는 독일과 프랑스의 국경도시에서 만났어요.

안녕, 헤르더!

안녕하세요!

나는 괴테에게 그리스 고전에서부터 《구약성서》, 셰익스피어, 전통문학, 민요 등에 대해 많은 이야기를 들려주었고, 괴테 역시 열심히 나의 이야기를 들었죠.

나는 이런 오래된 문화유산이 곧 '인류의 창조적인 천재들의 억압되지 않은 소리'라고 생각합니다.

흠!

끄덕

이러한 나의 생각에 괴테는 많은 자극을 받았고, 그 자극은 훌륭한 작품을 쓰는 데 좋은 밑거름이 되었지요.

헤르더와의 만남은 글 쓰는 데 많은 도움이 되었어.

이러한 괴테와의 교제는 다른 도시에서도 계속되었답니다.

1771년 4월, 독일 뷔케부르크라는 곳에서 나는 궁중설교자로 일하면서 종교 담당관이 되었어요.

이때는 언어에 대한 큰 관심을 가졌던 시기였어요.

언어의 기원에 대한 연구를 깊이 하고,

다른 한편으로는 사람들의 감정, 느낌, 본성을 (다른 철학자들과는 달리) 생각을 전달하는 중요한 수단으로 생각하면서

아우, 오늘따라 화가 나!

시원한 바람이 기분을 설레게 해.

문학에 대한 글을 발표했어요.

예를 들면 《언어의 기원에 관한 소론》이나 셰익스피어에 대한 비평 등을 썼답니다.

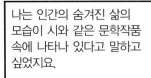

나는 인간의 숨겨진 삶의 모습이 시와 같은 문학작품 속에 나타나 있다고 말하고 싶었지요.

그것을 다시 말하면 이렇답니다.

시인은 자기 주위에 국가를 창조하는 자이다. 그는 사람들에게 보아야 할 세계를 제시하며, 사람들의 영혼을 손수 그 세계로 인도한다.

이러한 생각은 이성적인 절제와 규율보다는

선생님, 남아서 더 연습하고 싶어요.

안 돼! 연습시간은 끝났으니 집에 가거라.

자유와 열정, 감정과 환상을 추구하고, 천재를 찬양하는 문학 운동으로 이어졌어요.

자유와 열정!

감정과 환상~

사람들은 이것을 '질풍노도(Sturm und Drang) 운동'이라 불렀고,

나를 이 운동의 선구자로 말하게 되었지요.

이렇게 나는 칸트와는 달리 문학과 철학을 나누지 않고 양쪽에서 활동했는데, 이러한 나를 부정적으로 보는 사람도 있었지만

뭐야? 양다리 걸친 거야?

하나만 중심적으로 연구해도 모자랄 판에…

덕분에 독일 문학은 대단한 부흥기를 맞게 되었지요.

역사철학 강의

1776년 무렵, 나는 괴테의 도움으로 바이마르라는 도시에 정착할 수 있게 되었어요.

자, 이곳에서 나와 함께 지내지 않겠나?

감사합니다.

그 당시 바이마르는 학문과 연구, 문화와 예술의 수도와 같은 곳이었어요.

싫다고 할 이유가 없습니다. 여기서 살게요.

잘 생각했네.

내가 이 세상을 떠나던 해인 1803년까지 나는 이 도시에서 정말 많은 일을 했어요.

일생 중 가장 본격적으로 활동한 시기지요.

1801년에는 바이마르의 장관직에도 올랐기 때문에 안정된 생활을 할 수 있었죠.

당신을 장관으로 임명합니다.

감사합니다.

이때 이탈리아 여행을 하면서 처음으로 로마도 구경했어요.

나름대로 행복한 시기라고 할 수 있어요.

괴테와도 더욱 가까워져 많은 영향을 주고받는 사이가 되었어요.

하하하하하!

하지만 좋은 때가 있으면 꼭 나쁜 때가 있는 법, 나중에는 사이가 좀 벌어지게 됩니다.

흥!

내가 자존심이 너무 강해 잘난 사람을 못 참는 성격이라고 후세 사람들이 평가하긴 했지만,

시기심이 많대.

윽, 오해야!

그래도 난 젊은이들에게 인기도 있었고 훌륭한 제자들도 길러냈어요.

선생님, 안녕하세요.

선생님, 최고!

하하, 이쁜 제자들~

바이마르에는 내가 묻힌 교회가 있는데, 나의 이름을 따서 헤르더 교회라 불러요.

헤르더 교회

교회 앞에는 나의 묘비가 있는데, 거기에 새겨진 글을 소개합니다.

빛 · 사랑 · 삶

어때요? 사람들은 나에게 잘 어울리는 묘비명이라고 하네요.

빛 · 사랑 · 삶

헤르더의 《인류의 역사철학에 대한 이념》: 직립보행에서 인간의 모든 특성은 시작되었다.

대부분의 사람들은 주저 없이 《인류의 역사철학에 대한 이념》을 나의 대표작이라고 말하지요.

그런데 이 책은 미완성이에요.

1784년에 바이마르에서 처음 쓰기 시작했는데, 1791년까지 쓰다가 그만두었어요.

전체 25장으로 구상했지만 20장까지만 썼으니 상당한 부분을 못 썼지요.

그리고 다른 책을 쓰기 시작하는 바람에 영원히 끝을 내지 못하고 말았답니다.

아, 바쁘다!

그래도 역사철학에서 결코 빠질 수 없는 중요한 책으로 인정받고 있다는 것을 강조하고 싶군요.

솔직히 말해 이 책은 나의 스승 칸트의 생각에 반대하는 입장에서 썼습니다.

어쩐지!

제가 생각하는 것은 선생님의 주장과는 다르거든요.

나는 칸트가 감성과 이성을 나누면서 이성을 강조하는 것을 찬성하지 않았으니까요.

이성이야말로 자연이 인간에게 준 큰 선물입니다.

감성도 중요한데….

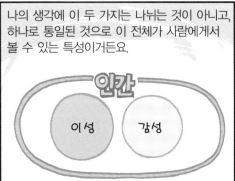

나의 생각에 이 두 가지는 나뉘는 것이 아니고, 하나로 통일된 것으로 이 전체가 사람에게서 볼 수 있는 특성이거든요.

인간

이성   감성

그래서 자연도 그 자체로서 이성적이라고 생각하며,

자연

나도 이성적이라고!

우리들이 만지고 보고 느끼고 알 수 있는 자연세계와는 완전하게 다르고 구별되는 순수한 정신의 세계가 인간에게 있다고 생각하지는 않습니다.

인간 역시 자연입니다. 때문에 인간의 정신세계를 자연이 가지고 있지 않다고 단정 지을 순 없습니다.

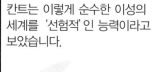

칸트는 이렇게 순수한 이성의 세계를 '선험적'인 능력이라고 보았습니다.

즉 우리가 경험하지 않고도 알 수 있는 세계라는 겁니다.

하지만 나는 이러한 것을 인정하지 않았지요.

이봐, 넌 내 제자면서 내 가르침을 부정하면 어떡해?

나는 인류의 역사 자체를 곧 철학적 역사라 보고, 그 철학적 역사를 책으로 쓰려고 한 것이지요.

둘 다 같은 것이라 생각했어요.

그래서 이 책에서 먼저 태양계, 다른 혹성과 지구와의 관계,

그리고 식물과 동물의 생활을 살펴보면서 우주 역사에 대해 이야기하고,

그 다음에 인류의 특징을 말하면서 인류의 역사를 시작한답니다.

그 이유는 인류의 역사를 이해하기 위해서 인간이 이 넓은 우주 속에서 어떻게 발전해왔고,

어떻게 우주에서 중심적인 자리를 차지하게 되었는지를 먼저 알아야 하니까요.

이렇게 해야 역사의 목적이 무엇인지를 더 잘 이해할 수 있다고 생각합니다.

내가 쓴 책에서 중요한 한 구절을 소개하자면 이렇답니다.

우리의 대기, 물, 대지가 생성되기 전에 서로서로를 용해시키고 침전시키는 많은 힘이 필요했다. 대지, 암석, 결정체들의 다양한 종류와 심지어 유기체까지 어패류로, 식물로, 동물로, 그리고 최종적으로는 인간에 이를 때까지 얼마나 많은 변형과 혁명이 전개되지 않았던가?

인간, 그는 모든 원소들과 존재들의 아들이며, 가장 정선된 정수요, 말하자면 창조의 꽃이다. 그는 자연의 궁극적인 총아 이외의 다른 것일 수 없으며, 그가 출현하기까지 많은 발전과 혁명이 선행되어야만 했던 것이다.

앞의 글에서처럼 나는 사람이야말로 우주의 최고 걸작이며,

인간이 짱이야!

이 세상의 모든 것들이 존재하는 이유는 인간의 발전을 위해서라고 생각해요.

그래서 온 우주는 힘을 합해서 우리 인간을 나타나게 했지요.

따라서 인간은 우주의 모든 활기찬 기운을 받은 생명체라는 것이 나의 주장입니다.

인간은 놀라운 특징을 갖고 이 세상에 나타났는데, 가장 중요한 특징은 두 다리로 걷는 직립보행의 능력이라고 생각해요.

두 발로 서서 걸을 수 있는 능력이야말로 이 우주의 어떤 생명체보다 인간을 뛰어난 존재로 만들어준 것이지요.

직립보행은 인간에게만 자연스럽다. 실제로 직립보행은 전 인류에게 해당하는 구조이며, 따라서 인간의 결정적인 특징이다.

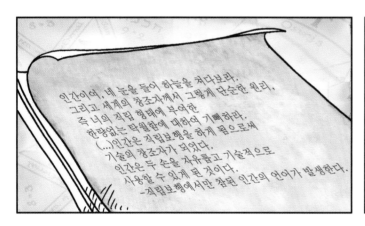

인간이여, 네 눈을 들어 하늘을 쳐다보라.
그리고 세계의 창조자께서 그렇게 단순한 원리,
즉 너의 직립 형태에 부여한
한량없는 탁월함에 대하여 기뻐하라.
(...)인간은 직립보행을 하게 됨으로써
기술의 창조자가 되었다.
인간은 두 손을 자유롭고 기술적으로
사용할 수 있게 된 것이다.
-직립보행에서라 참된 인간의 언어가 발생한다.

내가 이렇게 직립보행 능력을 중요하게 생각했던 것은, 이 능력을 바탕으로 사람에게만 있는, 뛰어난 능력들이 나오기 때문입니다.

두 손을 자유롭게 사용할 수 있는 능력 말입니다.

여기서 능력이란, 사람들만이 가지는 능력으로, 추리력, 언어사용, 도덕심, 종교적 능력 등이지요.

다시 말하면 사람들의 이성적인 능력이 서서 걷는 능력에서 비롯된 것이라는 말이지요.

이성적인 능력 중에서 언어능력은 가장 중요한 것으로, 사람들이 하는 모든 일에 없어서는 안 될 핵심적인 것이지요.

가나다라 ABCDE
этому что
ごんにちは
東方光錦

언어는 곧 민족의 정신과 특성을
표현한 것이니까요.

우리가 알아야 할 중요한 것은,
인류의 역사와 문화를
이끌어가는 힘이 무엇인가 하는
것입니다.

나의 생각에
역사는 두 가지
힘에 의해
만들어집니다.

그 두 가지 중 하나는 외적인 힘인
지리, 기후, 민족이고,

다른 하나는 내적인 힘인
민족정신입니다.

우리나라는 은근과
끈기의 민족이야!

이 두 가지의 상호관계에 의해서
그 나라, 그 민족의 독특한 역사가
만들어지고 발전하는 것이지요.

사무라이 정신!

개척자 정신!

이 점이 칸트의 역사철학과 다른
점이지요.

나는 모든 민족,
모든 시대, 모든 지역에
다 똑같이 적용되는
'보편적인' 기준이나
정신의 가치에
반대해요.

그래서 겉으로는 비슷하게
보일지라도

오오, 일본과 조선의
도자기는 비슷하군요.

뭐?

그 안에서 작용하는 정신이 다르면
다른 문화와 역사가 만들어진다고
믿는답니다.

일본에서 조선의
도자기공을 데려가서
그런 거잖아요!

움찔!

나는 역사를 만드는 내적인 힘은
민족정신이라고 생각합니다.

로마인에게 흡수된 그리스
학문은 로마적인 것이 된다.

그리고 문화는 사람들이 자신이 살고 있는 공동체와
함께 나누는 마음 깊은 곳의 감정과 같은 것이라고
봅니다.

자, 이번에 김씨네 논에
모내기를 하니 다 갑시다.

어서
서두릅시다.

고맙네!

그래서 문화를 전달하는 수단은 같을 수 있지만,
똑같은 문화는 있을 수 없지요.

로마인은 로마인이기 때문에
다른 민족이 될 수 없고, 또 다른 민족이
로마 민족을 모방할 수도 없다.

그러므로 한 나라의 역사를 바로 알려고 하면 무조건 똑같은 기준으로 판단해선 안 되죠.

기준을 제시하기엔 각 나라들이 처한 상황과 정신이 다르기 때문입니다.

그 민족의 독자적이고, 개별적인 것을 인정하고 독창성을 받아들여야 한다는 뜻입니다.

이러한 나의 주장에 대해서는 말들이 아주 많았던 것이 사실이죠.

인간의 본성은 변하는 것이 아니야.

일정하게 정해져 있다고.

윽!

왜냐하면 내가 살던 18세기의 사람들은 인간의 본성은 변하는 것이 아니고, 일정하게 정해져 있으며 그래서 야만인과 문명인으로 나뉜다고 생각했지요.

우가우가!

우리가 저 야만인과 다른 것은 이성 때문이랍니다.

그러니 다른 철학자들과 나의 생각은 정면충돌하지 않을 수 없었겠죠?

동양인은 동양인의 기준으로 보아야 하고, 서양인은 서양인의 기준으로 보아야 맞습니다.

나는 서로 다른 민족 사이의 문화를 절대적인 기준으로 판단해서는 안 된다고 말했지요.

그러니 사람들의 비판과 비난이 쏟아질 수밖에요.

자넨 틀렸네.

쯧쯧!

나는 민족마다 자기 민족만의 개성을 강조하고, 모든 문화와 역사를 똑같은 가치와 기준으로 보는 획일성을 싫어했어요.

…

끼야호~!

흠흠!

옷부터 보세요. 모든 민족은 다른 개성이 있다고요.

이러한 획일성은 민족의 고유함을 인정하지 않는 유럽중심적인 생각이니까요.

흥! 모든 민족은 하나의 거대한 흐름 안에 있어!

내가 말하는 개체성을 정리하면 이렇게 말할 수 있겠지요.

첫째, 민족의 고유한 개성은 그 민족의 문화를 통해 나타나고, 그 안에 민족정신이 녹아서 표현된 것이므로 다 다르고 독특한 것이다.

헛! 헛!

이럇!

하늘천 따지~

둘째, 각 민족의 언어는 공동체의 정신으로, 공동체의 경험과 희망의 표현 방식이다.

아이싯때루~

알러뷰~

사랑허이~

셋째, 각각의 역사는 시대마다 고유한 의미와 가치를 갖는 것이므로, 똑같이 중요하다. 그래서 어떤 한 시대를 더 편파적으로 높게 평가하거나 무시해서는 안 된다.

우리의 시대 모두 다 중요하다고!

고대시대

중세 시대

근대시대

예를 들면 많은 사람들이 중세시대를 '야만, 미신, 어리석음, 부도덕함의 시대'라고 말하는데 이것은 잘못된 것이다.

꺄악!

마녀는 화형이다!

역사는 끊어지는 것이 아니고, 계속적으로 발전하는 것이다.

잔인한 역사지만 그럼에도 발전하고 있는 역사라는 거야.

이런 정도로 내가 말하는 역사와 문화의 개체성을 요약할 수 있을 것 같군요.

그런데 내가 이렇게 고유함과 개성을 강조하자, 사람들은 나를 비난하기 시작했지요.

어떤 비난이었느냐고요?

시간과 장소가 달라져도 변하지 않는 정신과 이성을 말하기는커녕 오히려 이것들을 거부한다는 이유로 나를 상대주의자다, 비합리주의자다, 민족주의자다….

상대주의자!

감성을 중요하게 생각하는 비합리주의자!

민족주의자!

크윽! 한술 더 떠서 인종주의자라고까지 비난하기도 했답니다.

그러나 이러한 비난들은 나의 역사철학을 잘 모른다는 증거일 뿐이죠.

흥, 내가 말하는 게 뭔지도 모르면서!

?

나는 그 당시 이성만을 절대적인 것으로 생각하는 계몽주의에 대항하기 위해 민족의 고유함과 개별적인 것을 강조한 거랍니다.

계몽주의

하지만 내가 개별적인 것만을 지나치게 내세우는 것이 아니라는 것을 증명해 보일 수 있습니다.

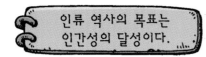

인류 역사의 목표는
인간성의 달성이다.

나는 민족마다 다른 민족이 흉내 낼 수 없는 고유한 개성이 있다는 것을 강조하면서

오오오오!

우가차카!

모든 사람이 문화와 역사를 발전시키면서 나아가야 하는 이유가 없다고 말한 적도 없어요.

또한 결코 이성을 완전히 거부한 적도 없습니다.

오히려 그 반대죠. 나는 역사에는 공동의 목표가 분명히 있고, 모든 인류의 역사는 하나의 나아가야 할 방향을 가지고 있다고 믿습니다.

그 방향이 어떤 건데요?

그것은 인간성의 달성입니다.

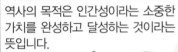

역사의 목적은 인간성이라는 소중한 가치를 완성하고 달성하는 것이라는 뜻입니다.

헉헉!

다시 말하면 민족성이나 문화의 고유함을 지키면서 동시에 인간성을 실현한다는 것입니다.

칸트는 아주 훌륭한 계몽주의자이고, 나는 그의 제자입니다.

제자인 제가 선생님의 영향을 안 받았을 리 없겠죠?

나는 분명히 계몽은 아주 중요하고 필요한 일이라고 생각합니다.

인간적이고 합리적인 사유(思惟)를 제창하고, 이성의 계몽을 통하여 인간 생활의 진보와 개선을 꾀하려 한 것이 계몽주의야.

하지만 너무나 지나치게 모든 것을 합리적이고 논리적으로 생각하며, 이성만을 좇다 보면,

너 왜 학교에 빠진 거야?

규율과 원칙만을 내세워 사람의 또 하나의 특징인 감정을 억누르게 되고,

학생의 본분을 지켜야 하는 거 아니니?

어제 할머니가 돌아가셔서 너무 슬퍼서 못 왔는데….

그렇게 되면 자유마저도 억압하게 된다는 것입니다.

이것을 반대하는 것이지요.

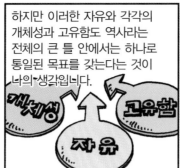

하지만 이러한 자유와 각각의 개체성과 고유함도 역사라는 전체의 큰 틀 안에서는 하나로 통일된 목표를 갖는다는 것이 나의 생각입니다.

개체성

고유함

자유

그 하나로 합해지는 목표를 나는 인간성이라고 봅니다.

인간성

헤르더 아저씨. 그런데 인간성이라는 것이 무엇인가요?

그 질문에 대한 대답은 아주 쉽게 하거나, 아주 어렵게 하거나 두 가지로 할 수 있지요.

왜냐하면 여러분은 이미 인간성이 무엇인지를 잘 알고 있을 뿐만 아니라,

네? 우리도 잘 알고 있다고요?

인간성을 생활 속에서 실천하거나 행동하기 때문이지요.

게다가 이미 실천하고 있다고요?

그러나 한마디로 짧게 말하면 인간성이란 인간다움입니다.

'사람답다.'는 것이죠.

아주 쉽고, 당연하고 그래서 새삼스러울 것이 하나도 없는 것을 거창하게 역사의 목표니,

사람이 사람다운 건 당연한 거잖아요? 그치?

그럼.

인류의 소중한 가치니 한다고 생각할 수도 있어요.

사람다운 게 역사의 목표라고요?

너무 거창해요.

하지만 그 사람다움이라는 것이 정말 무슨 뜻인지를 생각해보면, 그렇게 간단하기만 한 것은 아니지요.

그래요?

우선 나는 이 인간성이라는 것도 사람이 서서 걷는 능력과 깊은 관계가 있다고 믿어요.

걷는 능력으로 인해 사람은 다른 동물들과 구별되고

그로 인해서 인간다움의 의미가 생겨난 것이라고 생각하니까요.

서서 걷는 행동을 바탕으로 해서 인간은 '동물성'에서 벗어나 '인간성'을 지키려고 애쓰죠.

음….

우리가 알고 있는 대로 인류를 생각한다면, 그리고 인류에게 내재되어 있는 법칙에 따라 생각한다면, 우리는 인간 속에서 인간성보다 더 우월한 것을 파악할 수 없다. 왜냐하면 우리가 천사 혹은 신에 대해 생각할지라도 우리는 그들을 이상이나 초인간으로 간주하기 때문이다.

나는 이 말을 통해서 사람이 진심으로 바라는 것은 신이나 천사 같은 완벽한 존재가 아니라 가장 사람답게 되는 것이라고 강조하고 싶었습니다.

사람은 신이나 천사가 되고 싶은 것이 아니에요.

사람이 가장 사람다움에 도달하는 것을 역사의 목표라고 본 것이죠.

헉헉!

역사

탁 탁 탁

사람다움

이러한 사상은 사실 그리스 시대의 철학에서 영향을 받은 것이고,

또한 칸트를 비롯한 계몽 사상가들의 생각과 크게 차이 나지 않답니다.

그, 그래?

이제 내가 이렇게 중요하게 생각하는 인간성의 의미가 구체적으로 무엇인지를 살펴볼까요?

그것은 여러분의 생활이나 현실에서 멀리 떨어져 있는 것이 아니랍니다.

예를 들면 사랑, 행복, 완전함, 경외심, 덕성과 예의, 조화와 같은 것들이에요.

사람이라면 나름대로 누구나 자신의 생활 속에서 이런 인간성을 실천하려고 노력하지 않을까요?

그렇죠.

역사철학 강의

인간은 이제 인간성을 형성할 수 있게 되었다. 평화로움, 이성 간의 사랑, 동정, 모성애 등은 모두 직립 형태에서 비롯된 인간성의 단계들이다. 정의와 진리의 규칙은 인간 자신의 직립 형태에 근거하고 있으며, 이 직립 형태 때문에 인간은 예절을 알게 되었다. 종교란 가장 높은 단계의 인간성의 표현이다.

이러한 인간성은 인류가 걷기 시작하면서 보다 더 많이 달성하고, 실현하려고 꾸준히 노력해왔지요.

그리고 이러한 노력은 앞으로도 인류가 역사 발전을 바라는 한 계속될 것입니다.

사람들이 바라는 것은 더 많은 행복과 더 많은 평화와 더 많은 사랑이니까요.

그렇다면 어떻게 이러한 인간성을 달성할 수 있을까요?

그것은 인간의 이성과 정의에 의해서입니다.

인류는 문명의 다양한 단계를 다양한 형태로 거치도록 운명 지어졌다. 그러나 인류 행복의 영속성은 오직 본질적으로 이성과 정의에 근거한다.

이성이란 옳고 그른 것을 구별하고, 해야 할 것과 해서는 안 될 것을 알고,

쓰레기는 휴지통에 넣어야지!

거짓과 진실을 분별하고, 악과 선을 나눌 줄 아는 능력인데

내가 어제 집채만 한 괴물을 봤거든.

거짓말 하네~ 크크.

이러한 능력은 민족성과 문화의 다양함에도 불구하고 모든 인간에게 기본적인 것이지요.

그래서 자신이 있는 상황과 조건이 다 달라도 인간성을 증진시키고, 더 나은 세상을 만들기 위해서 함께 노력할 수 있답니다.

왜냐하면 인간은 인간성의 실현만이
더 많은 행복을 가져오고,

그러한 노력 없이는 현재뿐만 아니라, 후손들에게도 고통과 불행을
준다는 것을 자신의 이성을 통해 잘 알고 있으니까요.

아이들은 부모의 잘못으로, 국민은 통치자의 어리석음으로,
그리고 후손은 선조의 게으름으로 고통을 겪어야 한다.
그리고 그들이 악을 고치려 하지 않거나 고칠 수 없다면,
그들은 수세기 동안 그 아래에서 고통을 겪어야 한다.

인간성이 실현되지 않을수록 사람들은
불행해지고,

장군님 명령을
안 듣는 놈은 모두
죽일 것이다!

인간성이 증진될수록 사람들은
더 많은 자유를 누릴 수 있지요.

국민 복지에
최선을
다하겠습니다.

이렇게 보면 이성과 역사와
자유는 서로 뗄 수 없는 관계를
맺고 있고,

우리 인간이 바로
이 모든 것의
주인공이랍니다.

그러니 인류의 역사가
시작되면서 지금까지 그래
왔고,

그리고 여러분들이 만들어가는
미래의 역사도 역시

인간성의 달성을 목표로 하고
노력하는 과정이 될 것입니다.

이렇게 해서 나의 역사철학은 감정과 이성을, 부분과 전체를, 개체와 일반적인 것을 함께 이해하고,

역사 속에서 아무리 작은 것일지라도 전체 속에서는 나름대로 의미와 중요성을 가지고 있다고 믿는답니다.

작은 개미 하나 하나가 모여 거대한 개미 집단을 이루는 것처럼 말이야.

그래서 나는 역사적인 사건들이 우연히 법칙 없이 생기는 것이 아니고, 자연적인 현상들처럼 일정한 공식이 있다고 생각하는 사람이지요.

즉 역사와 문명의 발전도 꽃 한 송이가 피어나는 것과 같은 자연적인 원리와 규칙에 따른다는 것이 나의 생각이랍니다.

다행히 내가 쓴 《인류의 역사철학에 대한 이념》 역시 많은 사람들에게 깊은 영향을 주었고, 또 좋은 평가도 받았죠.

음, 훌륭하군요.

정말 좋은 논리입니다.

예를 들면 역사철학하면 사람들이 헤겔부터 떠올리고, 이 책의 주인공도 헤겔이라고 들었습니다.

바로 그 유명한 헤겔도 나에게서 많은 영향을 받은 것이 사실이니까요.

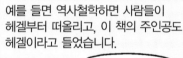

내 책은 영국과 프랑스에서도 번역되었고, 괴테도 좋은 점수를 주었다더군요.

음, 훌륭해.

이제 보니 시간 가는 줄도 모르고 제 이야기에만 빠져 있었군요. 오랫동안 내 이야기를 들어줘서 고맙습니다.

역사철학이 무엇인지를 이해하는 데 조금이라도 도움이 되었으면 합니다.

수고하셨습니다.

재미있었어요~!

제4장 이성과 자유

역사의 지배자 : 이성

이성이 세계 역사를 지배한다.

지금부터는 본격적으로 헤겔의 《역사철학 강의》를 알아볼 거야.

사실 그동안의 이야기는 오늘 강의를 위한 준비 단계였다고 생각하면 돼.

그렇군요.

지금까지는 《역사철학 강의》가 나오기 전에 어떤 사람이 어떤 책을 먼저 썼고, 그 내용이 무엇인지 알아봤어.

아무리 뛰어난 사람이라 해도, 아무도 생각하지 못한 것을 혼자서만 생각하거나, 만들어내지 못하니까 말이야.

자, 그러면 세계 역사의 중심이 되는 것이 무엇인지 헤겔에게 강의를 듣도록 할까?

아, 저기 선생님이 나오시는군.

안녕하세요~!

여러분, 오랜만입니다. 그동안 나의 선배인 칸트와 헤르더를 만났다는 말을 들었습니다.

여러분이 충분히 예비학습을 했으니, 대화가 더 잘 통할 것 같은데요.

그럼, 시작합니다.

세계 역사에서 가장 중요한 것은 한마디로 정신이라고 말하고 싶군요.

물론 자연 조건도 중요하지만 가장 중요한 것은 정신이라고 생각해요.

우리는 이 정신이 무엇인지 잘 알고 있는 것 같지만 막상 설명하려고 하면 쉽지 않답니다.

엄마 얼굴을 그리려면 쉽지 않은 것처럼요.

여기 있는 사람 중에 정신이 없는 사람은 없나요?

없지요.

넌 좀 없잖아.

여러분들은 '너는 만날 정신을 어디다 두고 다니니? 정신 좀 차려라!' 하는 말을 가끔 듣지 않나요?

엄마, 준비물!

여기 있다. 넌 정신을 어디다 두고 다니니?

그런데 사실 정신이라는 것이 어디에 놔두고 다닐 수 없는 것이란 사실을 다들 잘 알고 있지요?

왜냐하면 정신은 물건이 아니니까요.

물건이 아닌 것은 어떤 장소에 둘 수가 없기 때문이지요.

그런데도 사람들은 왜 그렇게 말을 할까요?

글쎄요….

이 말은 우리가 무언가를 깜빡 잊었다든가, 해야 할 일을 하지 않았을 때 종종 듣는 말이지요.

엄마, 숙제! 숙제!

여기 있다. 제발 정신 좀 차려라!

그런데 정신에 관해 이야기를 하려면 무엇보다도 '정신을 바짝 차려야' 한답니다.

넵!

하하! 그럼 정신을 다 가지고 이 자리에 모인 것으로 알고 정신에 관해 알아봅시다.

윽, 눈 아파!

지금부터 이야기할 '정신'이란, 생각하는 능력이라는 점에서는 앞에서 말한 정신과 비슷하긴 하지만,

완전히 같은 것은 아니라는 것을 알아야 합니다.

생각과 정신은 다르다는 것이지요?

그래, 비슷할 뿐이란다.

다시 말하면 정신은 앞뒤의 이치를 깨닫고,

흠. 잘못된 정치는 국민을 불안하게 하지.

이를 바탕으로 원인과 결과의 원리를 아는 능력이라는 뜻이지요.

정치개혁을 외친 혁명인 동학운동의 원인은 여기서 찾을 수 있어.

그러한 정신을 나는 '이성'이라고 말하고 싶군요.

그래서 눈앞에 놓여 있는 문제나 사실을 그냥 놓인 상태로만 보는 것이 아니고,

음, 물가상승으로 아이 한 명 키우기 힘든 세상이군.

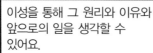

이성을 통해 그 원리와 이유와 앞으로의 일을 생각할 수 있어요.

그렇게 되면 아이들의 수가 적을 것이고 국가 경쟁력이 약해질 수밖에 없겠는걸.

철학이 지니고 가는 유일한 사상은 이성이 세계를 지배한다는, 따라서 세계사도 이성적 과정이라고 하는 단순한 사상이다. 이 확신과 통찰은 역사 자체에 관해서는 일반적으로 하나의 전제이지만, 철학 자체에 있어서는 아무런 전제가 아니다.

나는 이성이 역사의 주인이고, 지배자라고 생각해요.

으하하하하! 내가 바로 역사의 주인이다!

따라서 세계의 중요한 일과 역사는 이성의 힘에 의해 결정되고 일어나고 발전한다고 믿는답니다.

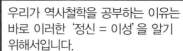

우리가 역사철학을 공부하는 이유는 바로 이러한 '정신 = 이성'을 알기 위해서입니다.

나 또한 같은 이유에서 역사철학을 연구했지요.

이렇게 보면 역사철학은 역사를 깊이 생각하면서 살펴보고,

흠, 이런 일이 있었구나.

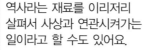

역사라는 재료를 이리저리 살펴서 사상과 연관시켜가는 일이라고 할 수도 있어요.

이 일은 어떤 사상이 있었기에 가능한 것일까?

그러면 역사를 그저 스쳐 지나가는 사건으로 보지 않고,

2차 세계대전은 왜 일어난 걸까?

그 안에 담겨진 뜻을 찾아내 다시 새겨 생각하게 되기 때문에 어떤 원리에 의해 그렇게 되었는지를 알게 되지요.

아하! 전체주의와 관련이 있구나.

자, 그러면 여러분도 이제 단순한 역사와 역사철학을 서로 구분할 수 있겠죠?

또한 철학은 정신, 즉 이성과 떨어져서는 생각할 수 없는 것이지요.

철학은 이성으로 시작해서 이성으로 끝나는 학문이라 해도 틀린 말이 아니지요.

철학은 이성을 연구하는 학문이라 해도 과언이 아닙니다.

그렇다고 철학이 우리와는 동떨어진 것이라고 생각하는 것은 옳지 않아요.

왜요?

우리는 누구나 철학을 하고 있기 때문입니다. 다만 그것을 알지 못하는 것뿐이지요.

저도 철학을 하고 있다고요?

왜냐하면 생각하는 순간부터 철학은 시작되기 때문이지요. 살아 있는 사람은 한순간도 생각하는 것을 멈출 수가 없잖아요?

오늘은 어디 가지?

점심은 뭘 먹지?

그녀는 날 사랑할까?

내 말을 듣고 있는 이 순간에도 여러분은 생각을 계속하고 있잖아요?

오, 나도 철학가였던가?

하하!

그러면 철학의 기본이 되는 이성은 어떤 것인지 조금 더 설명할까요?

'생각하다.'를 조금 더 고급스럽게 말하면 '사유한다.'고 하는데 이 말을 철학자들은 즐겨 사용하죠.

이 사유는 이성의 본성이에요.

그리고 사람은 살아 있는 동안 계속 생각을 하기 때문에 사유 역시 계속되는 것이지요.

나는 사유한다. 고로 존재한다.

이 말은 이성 활동이 우리들의 생명이 있는 한, 쭉 이어진다는 뜻이기도 합니다.

이성의 특징은 사람이 죽을 때까지 계속된다는 거야.

이성 그 자체의 모습은 우리의 눈으로 보거나 손으로 만질 수는 없지만,

어디 있나, 이성?

이성은 실제로 있는 것이고, 무한한 것이라고 말할 수 있어요.

음화화화화!

이성은 우리 한 사람, 한 사람의 능력이나 똑똑함과는 상관없이 객관적으로 존재하는 힘이며,

우리 모두 이성이 있어요.

또한 끝이 없는 무한한 힘이랍니다.

무한하다는 것은 시간이 지난다든지, 어떤 이유에서든 사라지지 않는다는 뜻이죠.

왜냐고요? 이성이라는 녀석은 활동하기 위해 밖에 있는 재료에서 영양분을 취하지 않고,

이성, 밥 먹어!

난 그런 거 필요 없어!

외부의 명령에 따라서도 움직이지 않기 때문이죠.

이봐! 이성! 내 명령을 들어!

흥!

이성은 모든 것을 스스로 해결하고, 자신의 행동을 스스로 지켜보는 괴짜죠.

음화화화화!

그래서 자신에게 필요한 모든 것을 스스로 자기 안에서 만들어내죠.

자체 충전이랄까?

또한 이성은 자기 주관이 뚜렷하고,

나는 내가 옳다고 생각하는 것에 대해 강하게 주장하지.

옳고 그른 것을 분명히 알려고 하는 호기심이 무지 강한 녀석입니다.

어느 것이 옳은지 궁금해, 궁금해, 궁금해!

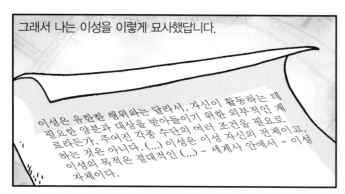

그래서 나는 이성을 이렇게 묘사했답니다.

이성은 유한한 행위와는 달리서, 자신이 활동하는 데 필요한 양분과 대상을 받아들이기 위한 외부적인 체 료라든가, 주어진 각종 수단의 여러 조건을 필요로 하는 것은 아니다. (...) 이성은 이성 자신의 전제이고, 이성의 목적은 절대적인 (...) - 세계사 안에서 - 이성 자체이다.

이 말은 이성은 자신의 존재를 설명해주고, 증명하는 것을 다른 것의 힘을 빌리지 않고 직접, 스스로 한다는 뜻이랍니다.

나 자신을 스스로 증명해 보이겠어.

오오~

한술 더 떠서 이성이 목표로 하는 것은 곧 자기 자신이지요.

나의 목표는 나 자신이야.

조금 이상하게 들릴 수도 있지만, 이렇게 생각해보면 쉽게 알 수 있죠.

우리가 어떤 것을 가지고 싶거나, 누군가를 닮고 싶다면 그것이 좋고 본받을 만한 것이기 때문에 그렇지 않을까요?

나도 박지성 선수처럼 멋진 축구선수가 되고 싶어.

그렇다면 이성에게는 자신 이외에는 어떤 것도 목표로 할 만한 것이 없다고 생각할 수 있겠지요.

목표로 삼을 어떤 것도 없어!

내가 세상을 움직이고 있어.

따라서 세계의 역사도 이성이 이끌어 가는 것이라고 생각합니다.

세계의 역사

다시 말하면 지금까지의 역사도 이성이 지배했고, 앞으로의 역사도 틀림없이 같은 원리에 의해 진행되리라는 것이지요.

역사는 내가 지배하고 있고 나에 의해 진행될 거야!

역사는 이성이 목표를 가지고 이끌어가는 것이기 때문에

오늘은 저만큼 가는 것이 목표야~

세계의역사

역사는 꼭 그렇게 되어야만 하고, 일어나야 하는 일들이 일어난 것이라고 할 수 있어요.

결코 우연하게 일어나는 사건들이 모인 것이 역사가 아니랍니다.

그렇기 때문에 이 세계의 역사를 단순히 겉으로 나타난 원인과 결과의 관계로 설명하는 것은 수박 겉핥기식으로 역사를 보는 거예요.

진정한 역사의 원리는 알 수 없는 거죠.

이러한 방식으로 역사를 보는 것은 눈에 보이는 사건과 사실에 대해서는 설명할 수는 있지만,

역사는 그게 다가 아니거든요.

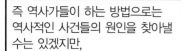

즉 역사가들이 하는 방법으로는 역사적인 사건들의 원인을 찾아낼 수는 있겠지만,

음! 이것 때문에 이런 사건이….

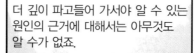

더 깊이 파고들어 가서야 알 수 있는 원인의 근거에 대해서는 아무것도 알 수가 없죠.

자, 이제 원인을 알았으니 돌아갑시다.

그래요.

원인의 근거

그러나 진정한 뜻에서 역사를 아는 것은 역사적인 사건에 대한 이해가 아닙니다.

이러한 사건과 역사를 통해서 나타난 이념을 알아내는 것이죠.

이것이 바로 철학자가 해야 할 일이라고 생각합니다.

이것은 역사가들의 일은 아니지요. 그들은 할 수도 없고요.

특히 우리들은 전문적인 역사가에 의해 현혹되어서는 안 된다. 왜냐하면 이들 역사가들은, 특히 큰 권위를 가지고 있는 독일의 역사가들은 그들이 비난하고 있는 철학자와 마찬가지로 역사 안에 있어서의 선천적 날조를 그 자신이 행하고 있기 때문이다.

내가 이렇게 말한다고 해서 역사가들이 전혀 쓸데없다는 말은 절대 아닙니다.

내가 말하고 싶은 것은 역사가가 할 수 없는 일이 있다는 것과,

역사 속의 이념과 철학을 찾는 일까지 우리가 할 수는 없다고.

역사는 거짓으로 꾸며지는 이야기나 지어낸 이야기가 되어서는 안 된다는 것이죠.

역사가가 역사를 꾸며내기도 하나요?

네, 예를 들면….

어떤 역사가는 자기 민족이 얼마나 위대한가를 말하려고 아주 굉장한 이야기를 지어내기도 하지요.

우리 민족은 신의 가르침을 받았습니다.

오오오~

그로 인해 우리 민족은 완전한 통찰과 지혜를 가지고 생활하며, 모든 자연법칙과 정신적 진리의 투철한 지식을 구비하고 있습니다.

또는 옛날부터 입으로 전해 내려오는 환상적인 이야기를 자신들의 역사로 만들어버리든지 하지요.

우리 왕은 알에서 태어났답니다.

이러한 일은 역사철학과는 상관이 없답니다.

역사철학에서 필요한 것은 무엇보다도 이성이기 때문입니다.

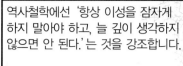

역사철학에선 '항상 이성을 잠자게 하지 말아야 하고, 늘 깊이 생각하지 않으면 안 된다.'는 것을 강조합니다.

음냐….

이봐, 일어나! 깨어 있으라고~!

그 이유는 '세계를 이성적으로 보는 자에게 세계 역시 이성적인 모습을 제시한다.'는 나의 생각 때문입니다.

그래서 나는 '이성이 세계와 세계사를 지배해왔고 지금도 지배하고 있다.'는 생각을 가지고 있어요.

또한 앞으로도 지배할 겁니다.

나는 세계의 지배자인 이성이 과연 무엇이며, 그 의미가 무엇인가를 좀 더 자세하게 이야기하려고 합니다.

내가 궁금한가?

우선 이성이라는 말은 과연 언제부터 철학의 무대에 등장하기 시작했는지를 좀 알아야겠군요.

맨 처음 이성과 비슷한 의미로 쓰였던 말은 '누스(Nous)' 였지요.

이 말은 아낙사고라스라는 소아시아 출신의 철학자가 사용한 것으로 알려졌어요.

안녕~ 내가 아낙사고라스야.

BC500~BC428

아낙사고라스는 어려서부터 깊은 생각에 몰두하기를 좋아했는데, 하늘에 대한 연구를 하면서 행복을 느꼈다고 합니다.

한때 아테네에서 활동하기도 했는데, 신을 믿지 않는다는 이유로 아테네를 떠날 수밖에 없었어요.

신을 믿지 않다니.

아테네를 떠나!

너무해!

퍽

왜냐하면 아낙사고라스는 단 하나의 힘에 의해 이 세계가 생겼으리라고 생각하지 않았지요.

신의 힘 하나만으로 세상이 생겼다고 생각하진 않아!

이 세상에는 셀 수 없이 많은 작은 씨앗들이 있고,

그것들은 스스로 변화할 수 없기 때문에 '누스'에 의해 다양한 것들이 되어 세상이 만들어진 것이라고 말했지요.

누스

즉 그는 물질을 움직이고 운동하게 하는 '생각하는 능력'인 누스가 있다고 본 것이죠.

이런 뜻에서 누스는 이성과 같은 의미로 생각할 수 있겠지요.

누스

예를 들면 태양계의 운동은 불변의 법칙에 따라 일어나고, 태양 주위를 돌고 있는 행성들도 이 법칙에 따라 움직이죠.

비록 태양이나 다른 별들이 이러한 법칙에 대하여 알고 있거나, 그런 생각을 갖고 있지는 않지만요.

아무 생각 없이 그냥 도는 거지, 뭐.

이러한 법칙을 누스라고 말한 것입니다. 이게 뭐 그리 대단한 것 이냐고요?

지금은 누구나 다 아는 것일지 모르지만, 이러한 생각은 사실 아주 위대한 것이랍니다.

이러한 생각은 사람들이 정신, 또는 이성을 세상의 시초로 보기 시작했다는 것을 말해주니까요.

이성

그래서 이 위대한 일을 두고 아리스토텔레스는 이렇게 말했답니다.

아낙사고라스는 술 취한 사람들 중에 깨어 있는, 단 한 사람의 술 취하지 않은 맑은 정신의 사람처럼 보였다.

이러한 아낙사고라스 사상은 철학자들에게 받아들여졌고, 중요한 사상이 되었지요.

누스에 대한 생각은 정말 획기적이에요.

훌륭합니다.

하지만 아낙사고라스 사상에는 문제점이 하나 있었죠.

그것은 아낙사고라스가 누스를 하나의 외적인 원리로서만 말할 뿐이라는 것입니다.

그가 말한 원리 자체가 문제가 아니고, 이 원리를 적용하는 데 있어서 부족한 점 때문이었지요.

뭐가 부족하다는 거야?

누스를 막연하게 원리라고 말할 뿐, 구체적으로 자연 세계가 이 누스에 의해 발전된 것이고, 자연이 이성의 힘으로부터 이루어진 것이라고는 말하지 않은 탓이지요.

누스

다음으로 이성에 관해서 알아 두어야 할 중요한 것은 이성이 세계를 지배한다고 생각하는 것은 빅뱅처럼 우연하게 세상이 만들어진 것이 아니고

섭리에 따른 것이라고 믿는 종교적인 진리와 서로 통한다는 것입니다.

우리는 서로 통하는 군요.

네, 느낌이 있어요.

그러면 먼저 신의 섭리가 무엇인지를 알아야겠군요.

신의 섭리라는 것은 신의 뜻, 또는 신의 법을 말한다고 생각하면 될 것입니다.

그래서 신의 섭리를 믿는다는 것은 신의 뜻이 세계의 모든 것을 결정한다는 것을 믿는 것인데,

이것이 곧 세계가 이성이 세운 목적을 향해서 나아가는 것을 확신하는 것과 같은 뜻이 된다는 것입니다.

역사의 목적을 세운 것이 단지 '신이냐?', '이성이냐?'의 차이인 거죠.

우리는 섭리의 모든 것을 알지 못하지요. 우리 눈에는 그 참뜻이 가려져 있기 때문입니다.

안 보여!

하지만 그 섭리의 참뜻을 알고 싶어하는 것을 나쁘게 볼 필요는 없어요.

맞아요. 궁금해서 알고 싶은 것뿐인데요.

그것은 지나친 욕심이라고 흔히들 말하거나 아니면 불가능하다고 말하지만

나는 오히려 그 반대라고 생각해요.

신은 인간이 단순히 신을 사랑하기만을 바라지 않고, 신의 존재를 알기를 바란다고 생각하니까요.

저는 신을 알기 위해 성경말씀을 읽습니다.

그렇다면 우리가 무엇을 가지고, 무엇을 통해서 신을 알고, 깨달을 수 있을까요?

글쎄요. 기적 같은 건가?

기도가 이뤄지는 거 아닐까?

그것은 두말할 필요 없이 정신입니다.

정신이라고요?

정신을 통해서 참된 것을 알 수 있으며,
정신은 모든 사물의 근본을 알고,
신의 존재까지도 인식할 수 있지요.

오히려 신을 알려고 하지 않는 것이야말로
성스럽고 참된 것과 관계를 맺지 않고, 자만에 빠져
안일한 태도로 살아가는 것이라고 말하고 싶군요.

신은 살아계십니다.
그분을 알아야 합니다.

흥, 그런 게
어딨어?

그래서 내가 말하려는 핵심을
다시 소개하자면 이렇지요.

따라서 나는 이성이 세계를 지배
하고 있고 이제까지도 세계를 지
배해 왔다는 명제가 신의 인식의
가능성의 문제와 관련성이 있다는
것을 말하지 않고서 그대로 둘 수
는 없었다.

이렇게 해서 처음에는 신에 대해
알고자 하는 것에서 시작된 정신은

이제 발전하여 드디어 사상으로
나아가야 한다는 것이 중요합니다.

다시 말하면 이성은 이제
적극적인 활동을 통해 자신의
모습을 드러내야 합니다.

나의 활동이
무슨 뜻을 가진
것인지도 정리를
해야 하지요.

이 말이 좀 이해가 안 간다고요?
다시 설명하자면, 이성은 그냥
가만히 있으면, 어떤 것이 이성인지
아무도 알 수가 없어요.

이성이 어디 있지?

그러므로 자신을 알리려면 행동에
나서야 합니다.

나 여기 있잖아!

응?

물론 이성은 스스로 행동할 수
없기 때문에 사람을 통해서
해야 하지요.

에잇!

그러나 무조건 행동만 한다면
그것은 동물과 아무런 차이가
없겠지요.

…!

멍!

자신의 행동을 되돌아보고,
그 의미를 생각해보고, 다음을
위해서 정리할 수 있어야겠지요.
이것을 말한 것입니다.

음, 그때 내가
왜 그랬을까?

이러한 이성이 행동하고 활동하는 무대가 바로 세계의 역사라는 것이 나의 생각이랍니다.

세계사가 나의 활동 무대야.

이성이 세계를 지배한다고 계속 강조하기는 했지만, 이성이라는 말이 무엇을 뜻하는지를 말하기는 상당히 어려운 일이죠.

솔직하게 말해서 섭리라는 말만큼이나 애매한 말이긴 합니다.

대부분의 사람들이 이성의 의미나 역할이 무엇인지 잘 모르지요.

농사꾼이 무슨 이성을 알아유~?

쳇, 나에 대해 모르다니~

그러니 어떤 것에 대해 이성적이고 비이성적인가를 판정할 수 있는 표준이 무엇인가를 말하기는 더 어려운 일이라는 것을 나도 인정합니다.

그럼 이성적인 것에 대한 판단 기준은 아세요?

아니, 이성도 나는 모른당께!

한 가지 분명한 것은, 이성에 대해 추상적이고 일반적인 것만을 말한다면, 이성은 단순한 하나의 단어 또는 말에 지나지 않는다는 것이죠.

쳇!

당췌 뭔 소리여~

그렇다면 이성의 의미와 역할이 뭐예요?

그건 먼저 '이 세계의 최종목적이 무엇일까?' 를 생각해보는 것이 좋은 방법이랍니다.

?

왜냐하면 이성에 대해 우리가 알려는 것은 우리가 사는 이 세상과 관련하여 이성이 구체적으로 무엇인가를 아는 것이니까요.

단순히 이성이라는 단어의 뜻을 알려는 것이 아니지요.

그래서 이 세상에서 우리가 직접 확인할 수 있는 이성이 어떤 모습인지를 아는 것이 중요합니다.

내 모습이 궁금해?

사람들이 어떤 목적을 세웠다고 말하는 것은

나는 축구 선수가 될 거야.

그 목적이 현실 속에서 이루어지고, 목적의 내용이 구체화되도록 한다는 뜻을 포함한다는 것은 여러분도 잘 알고 있지요?

그러기 위해서는 매일 연습해서 시합에 나가 좋은 성적을 거두어야 해.

팡

이제 이러한 내용들을 정리하자면 이렇게 말할 수 있어요.

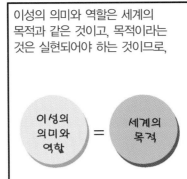

이성의 의미와 역할은 세계의 목적과 같은 것이고, 목적이라는 것은 실현되어야 하는 것이므로,

이성의 의미와 역할 = 세계의 목적

이성의 뜻을 아는 것뿐 아니라 이성이라는 말의 내용이 실제로 실현되어야 한다는 것입니다.

나에 대해서 아는 것이 다가 아니라고!

물론 이 세계는 자연과 정신, 양면으로 만들어졌죠.

그러나 세계의 역사를 이끌어가는 것은 정신이라는 것을 다시 한 번 강조하고 싶군요.

왜냐하면 자연은 비록 이성의 지배를 받지만, 스스로 이성적으로 생각하고 행동하는 것이 아니니까요.

내가 의지를 가지고 움직이는 것은 아니야.

자연과는 반대로 정신은 자신의 의지를 가지고, 세운 목적을 달성하려고 하는 본성을 가지고 있어서

하하하

끊임없이 현실 속에서 자신의 모습을 나타내려고 한답니다.

나는 자연과는 달라.

슈우욱

이러한 정신의 본성에 의해서 세계 역사는 만들어지고, 변화하고 발전하게 되는 것이랍니다.

세계사는 내가 만든 거야.

그런데 이러한 정신을 잘 살펴보면, 굉장한 욕심쟁이인 것을 알 수가 있습니다.

뭣! 내가 욕심쟁이라고?

정신은 언제나 두 가지의 중요한 일을 다 하려고 하거든요.

아, 그… 그거?

하나는 현실에서 보이지 않는 자신의 모습을 드러내기 위해서

정신? 그건 또 뭐여. 국 끓여 먹는 겨?

쳇, 이 아저씨가 보자보자 하니까!

늘 현실 속으로 들어가서 현실을 자기 뜻대로 움직이고 싶어하지요.

이래도 내가 뭔지 모르겠어?

그렇지만 다른 한편으로는 순수한 정신 상태로 남아 있고 싶어하기도 하는데,

아, 내가 너무 흥분했군.

이것을 우리는 흔히 개념이라고 말하지요.

개념으로 있게 되면 무엇이 좋은가? 이 질문은 아주 정곡을 찌르는 질문입니다.

그래서 아주 중요한 질문이지요.

한마디로 말하면 정신이나 또는 이성이 하나의 개념으로, 현실세계와 거리가 있는 추상적인 상태로 남아 있다면,

부웅~

상황이나, 조건에 상관없이 언제, 어디서나 적용할 수 있는 내용만을 포함하기 때문에 일반적인 원리가 될 수 있지요.

수학 공식 같은 거군요.

네.

다시 말하면 현실은 나라마다, 민족마다, 자연 조건에 따라 다르기 때문에,

우리가 개념으로 알고 있는 정신이나 이성은 현실에서는 조금씩 다른 모습을 보일 수밖에 없지요.

우리에게 사람은 먹는 거야.

후다닥

으악, 너무 다르잖아.

이것은 우리가 다른 나라의 역사와 문화를 보면 쉽게 알 수 있는 일이니 부정할 수 없겠지요?

휘휘

그렇다고 해서 기본이 되는 일반적인 뜻, 즉 개념이 없다면,

엄마, 돈 내놔요!

저런 개념 없는 놈!

무엇을 가지고 우리가 이성을 알고, 그것을 현실에서 달성하려고 노력할 수가 있겠어요?

즉 기준이 필요하다는 겁니다.

악!

예를 들면 문화와 나라에 따라서는 부정적인 것이나 중요한 것이 다를 수는 있지만,

너는 중요한 나의 식량이야!

으악, 말도 안 돼!

부정적인 것을 극복하고 중요한 것을 중요하게 생각하는 태도는 모든 사람에게 공통된 일반적인 것이지요.

우리 둘 다 식량이 중요한 것은 알고 있지.

왜냐하면 이미 이 개념 속에 사람들이 어떻게 행동할 것이라는 의미가 들어 있으니까요.

그러니까 널 먹어야지!

으악! 난 식량이 아니라고~!

그래서 이 두 가지, 개념과 구체적인 것, 다 필요한 것이랍니다.

개념

구체적인 것

이제 이성이 무엇인가를 좀 더 정확히 알기 위해서, 먼저 이성의 본질에 대한 이야기로 넘어가기로 할 것입니다.

그럼 그 다음 내용으로 넘어 갈까요?

이성의 다른 이름, 자유!

나의 또 다른 이름은 자유야!

지금부터 이성의 본질을 좀 더 자세하게 알아보는 시간을 갖겠습니다.

네!

앞에서 우리가 확실하게 알게 된 것은 이성이 세계 역사를 이끌어 나가는 주인이라는 것입니다.

오메! 왜 이렇게 무거워!

세계역사

그러면 이제 이성이 어떻게 역사의 주인 역할을 하며, 그러한 이성의 모습은 어떤 것인지를 알아봐야겠지요?

뭘 알아봐, 고생하는 거 안 보여?

세계 역사

우리가 어떤 것을 정확하게 알기 위해서는 반대 개념이 무엇인지를 알아서 비교해보면 쉽게 알 수 있답니다.

천동설을 알면 지동설도 쉽게 알 수 있는 것처럼요.

우선 이성이라고 부르는 정신에 대한 반대말은 물질이라는 것에 여러분들도 다 찬성하나요?

반대합니다.

그렇습니다. 물질이 정신의 반대말이죠.

반대 한다니까요.

물질은 중력을 가지며, 공간을 차지하지요.

그런데 정말 정신이 물질의 반대개념이라면, 방금 말한 물질의 특성과는 반대되는 특징을 정신은 가져야 할 것입니다.

네, 정신은 중력을 갖지 않고 공간도 차지하지 않아야 하지요.

그래요. 정신은 공간도 중력도 없이 활동하는 아주 특이한 것입니다.

내가 좀 특이하지!

이러한 정신의 본질을 나는 '자유'라고 주장합니다.

내 본질이 자유라고?

자유는 단순히 정신이 가진 여러 가지 특성들 중 하나가 아니고, 정신이 존재할 수 있는 필수조건입니다.

자유가 없는 나는 존재할 수 없다는 거지.

이 말이 뜻하는 것은 정신의 다른 모든 특성들은 이 자유보다 한 수 아래라는 거지요.

자유

의지 호기심 개념 무한함

그래서 이러한 모든 특성들은 자유가 없다면 있을 수가 없답니다.

자유

호기심 개념 의 무한함

다음은 자유가 다른 어떤 것보다 더 중요하고 핵심적인 것이라는 것을 강조하는 말입니다.

… 모든 것은 단지 이 자유를 위한 수단에 지나지 않고, 모든 것은 단지 이 자유를 구하며 이것을 산출하는 것이라고 한다.

이렇게 자유가 정신의 유일한 참된 모습이라고 주장하는 사상은 철학이 쌓아 올린 업적이라고 생각합니다.

다 우리 노력의 결과야.

철학은 물질과는 완전히 다른 정신의 본성과 힘을 밝혀냄으로써

자, 이성에 대해 알아볼까?

이봐, 농담이지?

인간의 행동과 역사에 얼마나 깊은 의미가 있는 것인지를 알 수 있게 만들었지요.

나의 작은 행동도 역사 속에 다 의미가 있다는 거지.

자, 다시 한 번 물질과 정신을 비교해 볼까요?

물질은 근본적으로 다른 여러 개의 물질이 모여서 이루어진 복합체이죠.

다른 것과 섞이지 않은 물질은 거의 없답니다.

물질은 불완전해요. 그래서 끊임없이 변화하고 처음 성질과는 다른 것으로 되어갑니다.

예를 들면 우리가 쓰는 많은 물건들은 시간이 지나면 닳아서 처음 모습과는 전혀 다른 것이 되거나,

이 지우개 원래는 네모였는데….

어떤 것은 점점 더 좋은 모습으로 변하기도 하잖아요? 그것과 같은 이치랍니다.

와, 이 조약돌 예쁘다!

하나의 작은 씨앗에서 싹이 트고 열매를 맺고, 또 점점 자라서 아주 커다란 나무가 되어

여름이면 많은 사람들이 쉴 수 있는 그늘이 되어주는 나무의 경우도 아주 좋은 예지요.

작은 씨앗이 커다란 나무가 될지 누가 상상이나 할 수 있었겠어요?

하지만 이렇게 물질세계에서 일어나는 변화는 물질이 스스로 세운 목적을 가지고 능동적으로 이뤄지는 것이 아니지요.

나는 거대한 나무가 될 거야.

외부의 조건에 맞게 일어나는 변화일 뿐입니다.

윽, 여긴 사막이었잖아.

게다가 결국 물질은 이러한 변화를 통해서 마지막에는 결국 사라지고,

나의 죽음을 알리지 말라.

툭

다시 다른 것으로 만들어지고 하는 것을 반복하죠.

너는 나의 먹이가 되어 똥으로 나올 거야.

크윽, 죽은 것도 억울한데….

이와는 반대로 정신은 자기 내부에 중심점을 가지고 있지요.

이성

그래서 자신을 완전하게 변화하는 것과 같은 혼란이 없이 잘 통일되어 있는 모습이지요.

정신은 물질처럼 자신이 존재하기 위해 필요한 조건들을 외부에 의존하는 것이 아니고, 자기 안에서 모든 조건을 충족시키는 힘을 가지고 있지요.

먹을 것이 필요하거나 잠잘 곳이 필요하지 않다고~

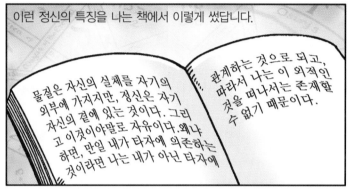

이런 정신의 특징을 나는 책에서 이렇게 썼답니다.

물질은 자신의 실체를 자기의 외부에 가지지만, 정신은 자기 자신의 곁에 있는 것이다. 그리고 이것이야말로 자유이다. 왜냐하면, 만일 내가 타자에 의존하는 것이라면 나는 내가 아닌 타자에 관계하는 것으로 되고, 따라서 나는 이 외적인 것을 떠나서는 존재할 수 없기 때문이다.

조금 어렵게 느껴질 수도 있겠지만, 핵심은 간단합니다.

자유의 참된 의미는 사람들이 흔히 생각하는 것처럼 자기 마음대로 해서 남과의 관계를 곤란하게 하는 것이 아니고,

오히려 남에게 조금도 의존하지 않고, 자신의 참된 모습을 찾아 내려고 애쓰는 것을 말하는 것입니다.

나는 누구인가?

다시 말하면 자유란 타인과 상관없이 오직 자기 스스로에게 충실한 것을 의미한다고 할 수 있지요.

자신에게 충실한 사람 하면 나 칸트지.

아~ 그런데 정신이 자기 스스로에게 머무른다는 것은 무슨 뜻이에요?

쉽게 말하면 정신이 자기에 대해 안다는 것이지요.

정신이란 사유하는 능력을 말하고, 생각한다는 것은 무엇인가를 이해하고 인식하는 것을 말해요.

앞에서 얘기했으니 다시 설명할 필요가 없겠지요?

그러면 이제 정신이 자신에게 머물러서 자신을 안다는 것을 이해하면 되는데,

그것은 이렇게 생각하면 될 것 같군요.

무엇인가에 ·정신이· 가 있다는 것은, 곧 그것을 아는 행위를 말하는 것이지요.

정신이 가 있다면 그것에 대해 알려고 노력하게 되니까요.

정신은 자기가 상대하는 것을 언제나 알려고 합니다.

그래서 정신이 자신에게 머문다는 것은 자신을 아는 것이 된답니다.

예를 들면 우리가 '어떤 것에 정신을 쓴다.'라고 표현하는 것과 비슷하지요.

너, 뭐에 정신을 쏟고 있는 거야?

성적표

이 말은 어떤 것에 대해 자꾸 생각이 미치게 된다는 뜻이고,

그러면서 그 대상이 생각을 차지하게 되는데 이것을 의식한다고 하는 것이니까요.

우리는 협상을 '촉구' 해야 합니다.

뭐? 축구?

News

또 다른 예를 들어 볼까요?

앗! 예쁘다!

우리가 우연히 만난 한 친구를 자꾸 생각하면서 정신을 쓴다면

자꾸 관심이 가고, 만나고 싶고, 그래서 더 많은 것을 알고 싶고, 이야기를 듣고 싶다는 의미가 아니겠어요?

으아~ 보고 싶어!

그것과 별로 다르지 않아요. 다만 여기서 내가 말하는 정신의 상대방이 자기 스스로라는 것뿐이지요.

이러한 정신의 모습을 '자의식' 이라고 하지요.

정신은 끊임없이 자기 자신의 본성을 알아서 그것에 대한 평가를 하려고 합니다.

1. 나는 최고인가?
☑ 그렇다 □ 아니다
2. 나는 멋있나?
☑ 그렇다 □ 아니

여러분도 틀림없이 그렇게 한다고 내가 장담할 수 있지요.

저희도 자신을 평가하고 있다고요?

난 그런 적 없는 것 같은데.

사람은 누구나 스스로에게 이런 질문들을 하지요.

도대체 나는 왜 이런 거야? 문제가 뭐지? 나는 누구지?

이런 행동을 '반성'이라고 하기도 하지요.

역사를 이끌어가는 정신도 비슷한 행동을 한다고 보면 됩니다. 스스로를 돌아보고, 잘못된 것을 고쳐나가면서 자기 스스로를 만들어가고, 그래서 결국에는 순수한 본래적인 모습을 찾으려고 노력하지요.

도대체 나는 왜 이런 거야? 문제가 뭐지? 나는 누구지?

그리고 이러한 노력은 행동으로 세계의 역사 속에서 표현되는 것이고요.

그런데 자연과 정신이 비슷한 점 한 가지가 있어요.

둘 다 본래 자기 안에 잠재되어 있는 것을 밖으로 표현하고 나타낸다는 것입니다!

자신 안에 처음부터 포함되어 있지 않은 것은 결코 밖으로 나타나지 않아요.

당연하잖아. 있지도 않은 것을 거짓말까지 하면서 나타내진 않지.

예를 들어 사과나무에서 봄에는 사과 꽃이 피고, 그 꽃이 지면 사과가 열려서

가을에는 사과를 먹을 수 있는 것은, 그러한 과정과 성질이 이미 사과나무 안에 예정되어 있었다는 이야기죠.

아웅, 맛있어.

그래서 사과나무에 갑자기 사정이 생겨서 배나 감이 열리는 일은 없지요.

올해는 개인 사정으로 감이 열렸어요.

말도 안 돼!

또 농부가 사과나무에서 배가 열리기를 바란다고 해서 사과 대신 배가 열리는 일도 없다는 것이죠.

이 건방진 사과나무! 나는 배가 필요하다고!

....

정신 또한 마찬가지랍니다.

처음부터 모든 것이 한눈에 보이지는 않지만 정신의 최초 모습에서부터 이미

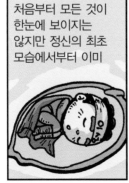

역사의 전체를 한 알의 씨앗이 나무, 꽃, 열매를 품고 있듯 잠재적으로 포함하고 있지요.

정신이 끊임없이 자신을 돌아보고 자신에 대해 질문을 던지고, 스스로 평가를 내리면서 자신을 의식하는 행동을 멈추지 않은 이유는

나는 잘 해온 것일까?

우선 정신의 본성이 자유이기 때문이고, 그것은 또한 정신이 자기 이외의 어떤 것에도 의존하지 않기 때문이라고 했죠.

기억나지요?

네!

그래서 정신은 외부에서 힘을 받아 발전하거나, 성숙하지 않고

반성 으윽! 고찰 의식 철학 질서

스스로의 능력으로 자신을 만들어내는, 일종의 자급자족하는 시스템으로 돌아간답니다.

저리 가! 떡 철

그래서 정신이 꿈꾸는 것도 다름 아닌 자유이지요.

내가 세운 목표는 자유를 실현하는 것이랍니다.

목표 자유실현

다시 말하면 자신의 본성인 자유가 이 세상에서 완전하게 펼쳐지기를 바라고,

자유

그 일을 위해서 자신이 해야 할 일을 찾아 나선 것이죠.

자, 이제 출발!

이 점이 내가 역사철학을 통해서 말하고 싶은 가장 핵심적인 것입니다.

여러분도 꼭 기억해 두기 바랍니다.

정신의 본성은 자유이고, 정신은 자신의 본성인 자유를 완전하게 실현하는 것을 목적으로 한다는 것이지요.

자유를 실현하겠어. 그것이 나의 본성이니까.

이성

그러나 자유를 현실 속에서 펼쳐가는 과정은 하루아침에 뚝딱 하고 쉽게 되는 것이 아니랍니다.

쉬운 일이 아니라고요.

흠….

길고 복잡한 과정을 거쳐서 때가 무르익어서야 그 단계에 맞는 모습으로 자유정신이 나타나지요.

나무의 열매처럼 말이죠.

자유정신

여기서 중요한 것은 한두 사람의 뛰어난 능력이 곧 한 나라와 민족 전체를 대표하는 것은 아니라는 것입니다. 자유가 전체적으로 이루어지는 것을 말하는 것입니다.

나는 몇 사람이 아닌 모든 사람이 자유로운 세상을 꿈꿉니다.

와아!

그래서 정신의 단계, 또는 자유가 실제로 현실에서 이루어지는 정도는 국가마다 민족마다 다르다는 것을 강조하고 싶군요.

우리 북한도 자유롭다고.

그, 그래?

북한

내가 이렇게 말한 것을 가지고 많은 사람들이 나를 비판하는데, 나는 다만 역사를 보면서 역사의 발전 단계를 철학적으로 연구하는 사람입니다.

그래서 나는 어디까지나 역사의 발전을 철학적 관점으로 살펴본 것입니다.

역사

물론 나의 생각에 찬성하지 않는 사람도 많을 것입니다.

그렇지만 나의 생각에는 변함이 없으니, 나의 생각을 있는 그대로 인정해주기 바랍니다.

자유의 발전 단계

자유도 단계별로 발전한다고!

자유

정신의 목적, 즉 자유가 어떠한 단계를 거쳐서 실현되는지 살펴보면

자유

내가 왜 역사를 자유 실현의 과정이라고 했는지 이해가 될 것입니다.

뒤에 가면 자세하게 나라별로 말할 기회가 있을 것입니다.

자유

정신은 자유를 실현하려는 목적을 가지고 역사를 오랜 시간 동안 진행해왔고

자유를 일구어 볼까?

앞으로도 역사는 그러한 목적으로 진행되어 갈 것입니다.

아직도 많이 남았군!

휴~

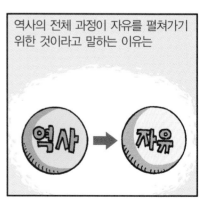

역사의 전체 과정이 자유를 펼쳐가기 위한 것이라고 말하는 이유는

역사 → 자유

사람들이 처음부터 자유의 의미와 중요성을 알았고, 그래서 자유를 위해 노력한 것이 아니기 때문입니다.

자유?

그게 뭐야?

동양의 역사는 서양의 역사보다 한 발 앞서 시작했습니다.

그래서 역사를 알려면 우선 동양부터 시작하는 것이 옳은 순서지요.

이 시기를 정신이 최초로 싹 트는 시기로 보면 됩니다.

정신

그런데 모든 것에서 최초라는 것은 시작과 동시에 아직 미숙한 상태라는 것을 말해주지요.

톡톡

인류의 역사도 막 시작하는 단계에서는 역사의 주인인 정신이 성숙하지 못한 단계이므로,

웃차!

정신이 자기 스스로를 알지 못한 채 막 눈을 뜨는 시기라고 생각할 수 있습니다.

?

두리번

이 말은 정신이, 다시 말하면 곧 인간이 자유라는 것을 알지 못하기 때문에 사람들은 스스로에게 자유로운 생활을 할 수 있는 권리가 있다고 생각하지 않지요.

자유랑 우리랑 뭔 상관이야.

이 세상에는 통치자 단 한 사람만이 자유로울 수 있다고 생각하므로,

어서 내 피라미드가 완공되어야 할텐데….

자신들이 한 사람의 자유를 만족시키기 위해 사는 것에 대해 이상하게 생각하지 않았지요.

어서 왕을 위해 피라미드를 짓자.

그래!

그래서 자유를 가진 통치자는 자신의 생각대로 사람들을 지배했고, 이 한 사람을 제외한 모든 사람은 통치자의 뜻에 따라 생활하고 통치자의 생각대로 움직여야 하는, 통치자에게 속한 사람들이었죠.

사람들은 자신의 목숨까지도 자신의 것이라고 생각하지 않았어요.

나의 목숨은 나의 주인이신 왕의 것이지.

왜냐하면 자유가 없는 사람은 아무것도 요구할 권리가 없고,

배고픈데 밥시간 아직 안 되었나?

조금만 참아. 달라고 해도 주지 않을 텐데.

아무 권리도 없는 사람은 당당한 한 사람이라고 자신을 주장할 수 없기 때문이지요.

밥 먹어라~!

와아~

자, 이만하면 내가 왜 자유의 의미를 그렇게 크게 생각하는지 이해가 되겠지요?

자유정신은 사람이 가질 수 있는 것 중에서 최고의 가치가 있는 것이라고 난 생각합니다.

자유

그리고 이 자유는 곧 정신에서 나온다는 것은 두말할 필요가 없지요.

이성

자유는 나에게 비롯되었지.

자유

예를 들어 어떤 사람이 스스로 자기는 자유가 없는 노예라고 생각한다면 그 사람은 아무리 좋은 것을 가져도, 아무리 뛰어난 능력을 가져도 노예에 지나지 않죠.

나는 노래도 잘하고 싸움도 잘하고 일도 잘해! 하지만 난 노예인걸….

단 한 사람만이 자유라고 생각하는 세상에서 사람들은 그저 순응하고, 복종하면서 생활하는데

어서 일해!

따악!

악! 잘못했어요.

이러한 사회에서는 통치자가 자유를 가지고 있다 하더라도 그것은 완전한 자유가 아니지요.

뭐라? 짐이 완전한 자유를 누리지 못하고 있다고?

왜냐하면 이러한 자유는 정신 고 자체가 자유라는 깨달음에서 생긴 것이 아니고,

쏴아

음… 자유란 무엇인가?

자신이 누리는 자유가 어떤 것인지 근본 이유도 모른 채 그저 우연히 생긴 것이라고 믿게 되는데

우연이라니? 하늘의 뜻임을 알지 못하는가?

그게 우연이지.

이렇게 근본에 대한 아무런 깨달음도 없는 것은 쉽게 사라져 없어지지요.

백성들의 반란으로 감옥에 갇혔어.

그래서 이러한 통치자는 진정한 뜻에서 보면 자유로운 지도자라고 할 수 없답니다.

큭!

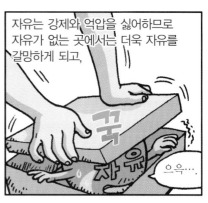

자유는 강제와 억압을 싫어하므로 자유가 없는 곳에서는 더욱 자유를 갈망하게 되고,

으윽…

그러면서 자유정신은 현실 속에서 활발한 활동을 꿈꾸게 되는 것입니다.

이렇게 자유가 막 걸음을 떼어 놓는 시기엔

자유는 아직 자신의 모습을 완전히 드러내지 못한 채 숨어 있게 되죠.

이러한 시기를 지나면서 자유는 더 많은 사람들에게 나타나게 되는데, 이때를 그리스·로마 시대라고 볼 수 있습니다.

그러나 여전히 수많은 사람들이 노예로 살았지요.

그리스에 어느 정도 민주주의가 싹 텄고 로마에서는 여러 통치자가 국가를 다스렸는데도 말이지요.

단지 몇몇 사람만이 자유라고 할 만한 생활을 했고,

심지어는 그 당시 최고 지식을 가졌던 사람들마저

자유가 몇몇 사람을 위한 것이 아니라는 것을 알지 못했지요.

자유는 노예에게는 필요 없는 거죠.

맞습니다.

그 시대를 나는 이렇게 말하고 싶군요.

그러나 그리스인도 로마인도 다 같이 약간의 사람만이 자유라는 것을 알고 있었을 뿐이었고, 인간이 인간 그 자체로서 자유라는 것을 알지 못하였다.

그리스와 로마인들에게는 자유에 대한 생각이 훨씬 넓게 나타났지만,

자유, 그것은 무엇인가?

한편으로는 사람을 노예로 부리면서 자신들의 생활을 편하게 하고,

너희들에게 자유는 없어!

크윽!

다른 한편으로는 이 노예들이 자유정신을 알기를 기대하는 양면성을 가진 것이 문제점이었지요.

저런 놈도 자유에 대해 알 수 있게 될 거야.

그 이후, 게르만 계통의 국민들에게 기독교의 교리 안에서

인간이 인간으로서 자유이며, 정신의 자유가 가장 고유한 본성을 이루는 것 이라는 의식

이런 의식이 생겨나기 시작했지요.

모든 사람이 자유라는 생각은 처음에 종교적인 것에서 비롯됐어요.

다시 말하면, 기독교는 기독교 안에서는 신분의 차이나 계층의 차이가 없이 모든 사람들이 자유이며, 모두 평등하다고 말했고, 이러한 가르침은 사람들의 생각을 크게 변하게 했어요.

모든 사람은 기독교 안에서 자유하며 평등합니다.

하지만 이것은 어디까지나 종교적 교리였고,

이것을 실제 생활에까지 넓히는 것은 굉장히 어려운 일이었지요.

현실은 여전히 귀족들의 노예일 뿐이야.

모든 사람은 자유라는 생각을 하나의 생활방식으로 만드는 데는 긴 시간과 노력이 필요했지요.

왜냐하면 실제에 적용한다는 말의 의미는 개인 각자가

아, 난 사람이고, 사람은 자유이므로, 나는 자유다!

주장한다고 해서 되는 것이 아니거든요.

뭔 헛소리야. 어서 일어나 해!

크윽!

이러한 자유에 대한 생각을 실생활에 적용하려면, 한 나라 안에서 해야 할 일들이 많은데

우선 국가는 자유를 하나의 근본적인 원칙으로 받아들여서,

우리는 국민의 자유를 근본으로 민주주의를 지킬 것입니다.

이 원칙이 어떤 제도와 법에 의해 잘 지켜질 수 있을까를 판단하고, 그대로 실행해야 하지요.

이 법을 실행하면 국민의 자유가 보장됩니다.

좋군요.

자유도 다른 것들과 마찬가지로 법과 제도로 보장되어야 사람들이 널리 행하고 당연한 것으로 생각해서 유지하려고 노력하니까요.

법과 제도의 보호를 통해 자유를 보장해줘야 사람들이 지키겠지요!

내가 '역사는 자유 실현의 과정이다!' 라고 한 말은 바로 이런 내용을 담고 있어요.

자유 실현이라고 하는 것은 그저 막연하게 상황에 따라 마음대로 행동하거나,

에이, 더러운 세상!

쾅

한 사람 한 사람이 개인적으로 자기를 억압하는 것과 싸우는 것을 뜻하는 것이 아니지요.

거대기업

거대 기업의 횡포 각성하라!

각성

내가 말하는 자유라는 것은, 자유를 사회적·국가적으로 모두에게 약속하고 그것을 확실하게 지켜나갈 수 있도록 여러 가지 일을 하는 것이지요.

제도

법

자유

규범

그래야만 모든 사람이 자유라는 것을 인정할 수 있으니까요.

다시 한 번 강조하지만, 내가 말하는 정신이나 자유는 어떤 개인을 위한 것도 아니고, 개인에게만 속한 것도 아닙니다.

자유는 우리 것이야.

아니야, 당신들이 누리는 것은 진정한 자유가 아니야.

물론, 나도 자유라는 말이 얼마나 많은 뜻을 가지고 있는지 잘 알고 있어요.

말이 여러 가지 뜻을 가지고 있으면 그만큼 오해도 많이 생기죠.

그래서 자유에 대한 오해와 혼란도 많죠.

우리 주장이 진정한 자유야!

아냐, 우리 주장이 맞다고.

하지만 분명한 것은 자유는 어느 누구도 포기하지 않는 최고의 것이고,

저기다. 저기 자유가 있다.

와아!

그래서 심지어 사람들은 이 자유를 위해 자신의 목숨을 내놓기도 하지요.

내게 자유 아니면 죽음을 달라!

인류의 역사를 살펴보면 자유를 위해 사람들이 어떤 희생을 치렀는지 더 분명해집니다.

그래서 나는 자유를 이 세상 최고의 지배자라고 생각합니다.

자유를 위해서 우리는 기꺼이 싸울 준비가 되어 있거든요.

자유!

자유!

자유!

그 결과 역사가 진행될수록 사람들은 더 많은 자유를 누리고 경험하면서 살 수 있게 된 것입니다.

와아~

이렇게 볼 때, 자유라는 정신은 세상을 바꿀 수 있는 막강한 능력과 힘을 가진 친구이지요.

음화화화! 나의 능력을 이제 알겠는가?

그런 친구를 여러분은 '짱'이라고 부르지요?

내가 바로 '짱'이야!

우리 눈에 보이지 않기 때문에 많은 사람들이 정신은 실제적인 힘이 없는 것으로 생각하지만,

나는 그 반대로 생각합니다.

정신만이 실제로, 그리고 변함없이 항상 그 자리에 있는 친구이지요.

후후후! 난 항상 이 자리에 앉아 있지.

그러면서 우리가 눈으로 보는 물질세계를 뒤에서 지휘하고 통제하는 진짜 '짱'인 친구이지요.

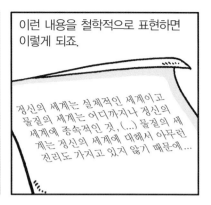

이런 내용을 철학적으로 표현하면 이렇게 되죠.

정신의 세계는 실체적인 세계이고 물질의 세계는 어디까지나 정신의 세계에 종속적인 것, (…) 물질의 세계는 정신의 세계에 대해서 아무런 진리도 가지고 있지 않기 때문에…

이 말은 결국 정신이 물질의 지배자이고, 물질은 혼자서는 아무 쓸모없고,

흐음!

정신을 만나야 비로소 제자리를 찾을 수 있다는 뜻이지요.

웃챠!

예를 들면 여러분이 중요하게 생각하는 컴퓨터나 핸드폰도

그렇게 생각하는 정신 없이는 정말 쓸모없는 물건에 지나지 않죠.

나는 축구가 더 좋아.

그러니까 어떤 것의 가치를 정해주는 것은 정신이지, 물건이 스스로 자신이 얼마만큼 중요한지 알고서 값을 정하지는 못하지요.

내가 가치를 인정해주지 않으면 다이아몬드도 그냥 돌일 뿐이야.

그래서 물질은 정신에 늘 의존적이지요.

이것은 나의 철학의 중요한 부분이기도 합니다.

나의 철학은 정신에 기꺼이 왕좌를 내주는 철학이랍니다.

여기….

하지만 자유로운 정신을 가장 중요하게 생각하고, 이것을 최고의 원리로 생각한다 해도,

우와, 저게 뭐야?

슈우우

현실세계에서 이 원리가 바로 통하는 것은 아니지요.

정부에서 알아서 하겠지.

….

알 게 뭐야.

바빠!

하지만 자유의 유일한 목적은 자유 그 자체이고,

너는 내 목적이야!

이것이 곧 정신의 목적이므로 아무리 길이 멀다고 해도

윽, 자유가 왜 저리 멀어!

정신은 결코 자유를 포기하는 일이 있을 수 없어요.

넌 결코 포기 못해!

자유를 포기하는 것은 곧 역사가 멈추는 것과 같은 말이기 때문입니다.

그래서 역사는 자유를 이루기 위해 최후까지 길을 갈 것이고,

거의 다 왔다.

완전한 자유를 달성할 것이라고 생각합니다.

해냈어!

번쩍

자유가 완전하게 달성된 세상이 바로 누구나 꿈꾸는 그런 세상이지요.

다시 말하면 완벽한 세상이지요.

이러한 세상은 신이 바라는 세상과 다름없지요.

네? 그게 왜 그렇게 되는 거예요?

흠, 당연한 질문입니다.

자, 여기서 우리가 잠시 생각을 정리해야 할 것 같은데, 우선 질문을 하나 해야겠군요.

우리가 생각할 수 있는 가장 완전한 존재는 무엇일까요?

사람?

음….

사람은 아니지요? 유감스럽게도 사람에겐 너무나 많은 약점과 단점이 있죠.

그럼… 컴퓨터?

아!

당연히 아니죠. 그건 기계일 뿐이죠.

신이요!

오!

그렇습니다. 신이죠.

그래서 신이라는 개념 속에는 완전하고 절대적이고 어떤 약점도 단점도 없다는 것이 포함되어 있죠.

그리고 사람들이 흔히 말하는

인간이라서 어쩔 수 없어. 인간은 신이 아니거든.

이런 표현에는 인간은 완전하지 않다는 뜻이 들어 있지요.

그렇군요.

이렇게 보면 오직 신이라는 개념만이 가장 완벽한 것을 나타내지요?

네!

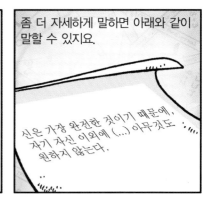

좀 더 자세하게 말하면 아래와 같이 말할 수 있지요.

신은 가장 완전한 것이기 때문에, 자기 자신 이외에 (…) 아무것도 원하지 않는다.

신은 자신 이외의 다른 것을 더 바라지도 않고 원하지도 않는다는 것은 당연합니다.

누가 자신보다 더 못한 것을 원하겠어요.

그러니까 신이 자신을 닮은 세상을 가장 완전하다고 여기는 것이 당연하고,

나를 닮은 것이 가장 완전한 것이다.

또 신이 생각하는 세상은 당연히 완벽한 세상이 될 수밖에요.

나는 완벽한 세상을 원해.

그리고 자유가 실현된 세상은 가장 완벽한 세상입니다. 그러니 이 두 세상이 곧 하나의 세상으로 통하는 것은 논리적인 것이 아닐까요?

이 두 개의 세상은 같은 세상이랍니다.

자유가 실현된 지구 = 완벽한 지구

어떻습니까? 어떤 논리적인 허점이 보이면 지적해도 좋습니다.

아니면 내 말에 동의하던가요.

동의합니다~!

고집불통인 철학자들과는 달리 고맙게도 금방 동의하는군요.

히히히~

한마디로 나는 신의 본성이 곧 역사가 목적으로 하는 자유의 이상이라고 말하고 싶습니다.

나의 본성은 자유이니라!

신이 가장 완전한 존재이므로 신은 자신의 본성이 펼쳐지기를 바랄 뿐 다른 것을 바랄 수는 없습니다.

그리고 나는 이 자유가 세상에 펼쳐지길 바랄 뿐이다.

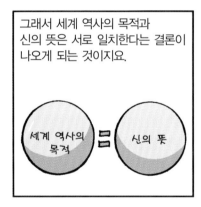

그래서 세계 역사의 목적과 신의 뜻은 서로 일치한다는 결론이 나오게 되는 것이지요.

세계 역사의 목적 = 신의 뜻

아, 그렇구나!

이것으로 이성과 자유의 관계에 관한 이야기를 마치기로 하지요.

자유는 이성의 최고 친구이고,

자유

안녕, 친구~!

또 자유가 신의 뜻을 표현한 것이라고 생각하면

자유

이성

여러분은 오늘 내 강의를 완벽하게 소화한 것입니다.

자, 그럼 다음 장에서 다시 만납시다.

감사합니다!

수고하셨습니다.

제5장 자유 실현의 수단들

역사의 목적은 자유를 온 세계에 펼치는 것이죠.

그럼 이 목적을 달성하기 위해서는 어떤 수단이 필요한지 알아볼게요.

네~

자유라는 개념이 상당히 애매하기 때문에 자유를 실현하기 위한 수단은 간단하지 않아요.

수단이란 간단히 말하면 목표를 이루기 위한 것이에요.

자유는 추상적이어서 직접 볼 수 없는데 이것을 눈으로 볼 수 있는 것으로 바꾸어 놓아야 하니까요.

눈에 보이지도 않는 걸 어떻게 보게 해요?

그러니까 간단하지 않다는 거지.

자유는 누구나 머릿속으로 "아! 자유, 그건 뭐 이런 것이지."라고 그림을 그려볼 수는 있지만,

자유란 이런 거?

실제로 자유라는 개념이 생활 속에서 모습을 나타내려면,

오~ 저기 자유다!

보거나 직접 느낄 수 있는 구체적인 것이 되어야 해요.

그러려면 수단이 아주 중요한 역할을 하게 됩니다.

여기서 수단이란 자유라는 친구를 역사의 현장으로 데려가는 통로라고 할 수 있어요.

통로 역할을 하는 것이 바로 수단이야.

사실 역사란 많은 사람들이 한 여러 가지 행동들이지요. 물론 사람들의 모든 행동이 역사가 되진 않지만, 그들의 행동이 모여 역사를 만드는 것은 분명해요.

그리고 이러한 행동 속에는 사람들의 관심, 열정, 욕망, 재능, 애국심, 선한 마음, 여러 가지 욕심과 소원 그리고 개인적인 성격의 특징이 들어 있어서

1등 해서 국가대표가 돼야지.

나는 육상이 좋아~!

상금 타서 그걸로 놀아야지.

한번 뛰어보면 어떤 느낌일까?

똑같은 행동을 해도 결과는 다르게 나타난답니다.

짜딩

그리고 이 모든 것들이 다 똑같이 중요한 것은 아닙니다.

관심, 열정, 욕망, 재능, 애국심, 선한 마음 등등이 다 똑같지는 않지요.

다시 말해 사람들의 행동에는 여러 가지 이유가 있지만,

1등 해서 유명해지려 했는데….

상금 좀 타보려 했건만….

나는 심심해서….

정말 중요한 것은 사람들의 머리나 생각 속에 있는 것을 현실세계에 옮겨 놓음으로써

머릿속에 있는 풍경들을 그려볼까요?

새로운 세계를 열어갈 수 있는 수단들입니다.

참 쉽죠?

수단이 잘못되면 목적을 이루기 힘들거든요.

잘 안 그려지네.

붓으로 해야지~!

목적을 세우는 것이 1단계라면 실행에 옮기는 것은 2단계입니다.

이때 실행하기 위해서 꼭 필요한 수단들이 무엇이냐 하는 것이죠.

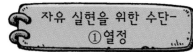

다이어트 해야지!

개인의 욕심으로 역사적인 큰일을 하려는 것은 역사의 목적을 달성하는 것과는 반대되는 일이지요.

나를 위해 세계 통일을 해야겠어!

그래서 대부분의 사람들은 이런 일을 옳지 않다고 생각해요.

우우우~ 물러가라!

윽!

왜냐하면 자신의 욕심을 챙기는 사람은 이웃이나 사회의 이익은 생각하지 않고

흥!

자신만을 생각하는 이기적인 사람이라고 생각하기 때문입니다.

내가 뭘 어쨌다고 이기적이라는 거야?

아이들 좀 도와줘라!

그리고 사람들은 이기적인 사람들이 자기 욕심을 위해서 전체의 이익을 희생시킨다고 비난합니다.

우리가 일한 세금으로 자기 배나 채우고!

나쁜 놈!

윽!

하지만 솔직히 아무리 훌륭한 일이라 해도 마음속으로 하고 싶지 않다면 좋은 결과를 얻기 어렵습니다.

이거 먹어라!

휙

와아~!

왜냐하면 자기가 만족하지 못한다면 하기 싫기 때문이지요.

쳇….

아무리 뛰어난 능력이 있다 할지라도 앞장서서 행동하지 않을 겁니다.

먹을 것이 많아도 도와주고 싶지 않아.

우리는 개별적인 사람들이기 때문에, 누구나 개인적인 욕망을 가질 수밖에 없으니까요.

그래서 나는 역사의 목적을 성공적으로 이루도록 하는 데 필요한 첫 번째 수단은

열정이라고 생각합니다.

어떤 사람들은 열정을 부정적으로 보거나, 위험하고 악한 것으로 생각합니다.

열정은 억제해야 해.

생각이 깊은 사람 이라면 가져선 안 되지!

그러나 나는 그 생각에 반대합니다.

열정은 우리가 중요한 일을 하는 데 꼭 필요한 핵심적인 수단이에요.

난 열정을 아주 중요하게 생각하고, 열정 없이는 되는 일도 없다고 보는 사람입니다.

와아~

열정은 자신이 하려는 일을 이룰 수 있도록 하는 기본적인 수단이지요.

골!

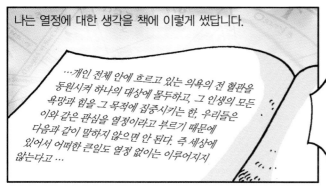

나는 열정에 대한 생각을 책에 이렇게 썼답니다.

…개인 전체 안에 흐르고 있는 의욕의 전 혈관을 동원시켜 하나의 대상에 몰두하고, 그 인생의 모든 이와 같은 관심을 열정이라고 부르기 때문에 다음과 같이 말하지 않으면 안 된다. 즉 세상에 있어서 어떠한 큰일도 열정 없이는 이루어지지 않는다고 …

열정이란 자신이 하려는 일에 대한 진지하고 깊은 관심입니다.

와아! 저렇게 스루 패스를 넣어 줘야 하는구나.

이것은 흔히 재미있는 일에 대해서 가지는 일시적인 관심이나 호기심이 아닙니다.

음, 나도 축구공 좀 차볼까?

예를 들면 두 친구가 방학 과제로 별자리를 함께 관찰하기로 했다고 합시다.

별자리 관찰 숙제 같이 하자!

응!

두 사람은 계획을 세우고 망원경과 기록노트도 준비했는데,

망원경 가져왔어.

나는 기록노트!

그 후 한 친구는 매일 약속 장소에. 나와 관찰을 했지만,

음, 북두칠성이…

다른 한 친구는 처음에는 몇 번 나오다가 그 다음엔 항상 바쁜 일이 있다는 이유로 나오지 않았지요.

아, 오늘 약속이 있어서 내일 갈게!

결국 함께 하기로 한 약속은 지켜지지 않았고, 별자리 관찰은 한 친구 혼자서 했어요.

얜 오늘도 안 오네.

자, 이 친구들은 처음에는 둘 다 관심을 가졌죠. 하지만 시간이 감에 따라 한 친구의 관심이 점점 식었어요.

사람은 관심이 없어지면 핑계가 많아지기 시작해요.

아, 그게 바쁜 일이 있어서….

만약 그 관심이 내가 말하는 열정과 같은 뜻의 관심이라면 핑계를 대지 않고 오직 목표로 하는 일에 모든 힘을 다해서 몰두했을 거예요.

사람은 어떤 것에 대해 진심으로 열정을 가지면

더 좋은 일이나 재미있는 일은 없나? 하고 두리번거리지 않고 오로지 그 일에 매달리게 됩니다.

농구하자~!

아, 난 축구 연습할래.

내가 말하는 관심은 이처럼 자신의 모든 것을 집중하고, 말 그대로 작은 실핏줄 하나까지 자신이 세운 목적에 몰입하는 것입니다.

이얏!

철썩

이렇게 자신이 세운 목표에 완전히 몰입하려면, 먼저 목표로 하는 일이 자신의 마음에 들어야 하는 것이 당연합니다.

좋았어!

그 일을 이루어지도록 만드는 것은 사람, 즉 우리 자신이니까요.

훌륭한 축구 선수가 될 거야.

그런데 그러한 활동을 하는 주인의 마음에 만족함이 없다면 그 일이 잘 될 수 있을까요?

당연히 잘 될 리 없죠~!

그런 뜻에서 나는 이렇게 말하고 싶군요.

나는 자신의 활동에 의해서 나의 목적을 만족시키지 않으면 안 된다. 이와 같이 주관이 그의 활동과 노동에 의해서 자기 자신에게 만족을 준다는 것이야말로 주관의 무한한 권리이다. 인간은 무엇에 관심을 가지지 않으면 안 될 경우에는 그것에 몰두하고 거기에서 자기 자신의 감정의 만족을 찾아내지 않으면 안 된다.

사람은 어떤 일을 할 때 아무리 그 일이 중요한 일이라 하더라도 자신은 잊어버리고 오로지 다른 사람만을 위해서 할 수는 없어요.

오늘 봉사활동은 바닥에 붙은 껌을 떼는 거야.

맡겨줘!

힘들 텐데~!

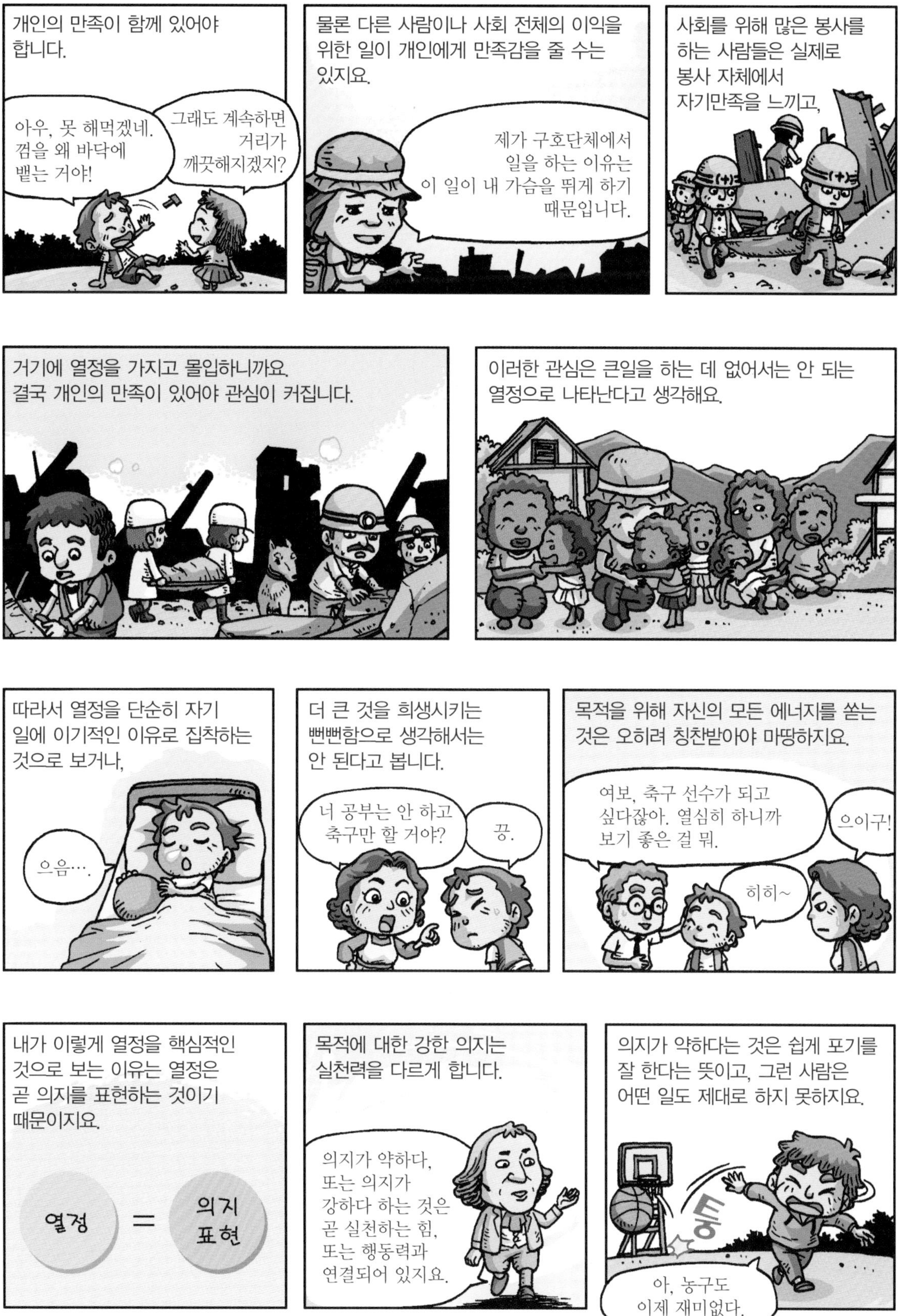
개인의 만족이 함께 있어야 합니다.
아우, 못 해먹겠네. 껌을 왜 바닥에 뱉는 거야!
그래도 계속하면 거리가 깨끗해지겠지?
물론 다른 사람이나 사회 전체의 이익을 위한 일이 개인에게 만족감을 줄 수는 있지요.
제가 구호단체에서 일을 하는 이유는 이 일이 내 가슴을 뛰게 하기 때문입니다.
사회를 위해 많은 봉사를 하는 사람들은 실제로 봉사 자체에서 자기만족을 느끼고,
거기에 열정을 가지고 몰입하니까요. 결국 개인의 만족이 있어야 관심이 커집니다.
이러한 관심은 큰일을 하는 데 없어서는 안 되는 열정으로 나타난다고 생각해요.
따라서 열정을 단순히 자기 일에 이기적인 이유로 집착하는 것으로 보거나,
으음….
더 큰 것을 희생시키는 뻔뻔함으로 생각해서는 안 된다고 봅니다.
너 공부는 안 하고 축구만 할 거야?
끙.
목적을 위해 자신의 모든 에너지를 쏟는 것은 오히려 칭찬받아야 마땅하지요.
여보, 축구 선수가 되고 싶다잖아. 열심히 하니까 보기 좋은 걸 뭐.
으이구!
히히~
내가 이렇게 열정을 핵심적인 것으로 보는 이유는 열정은 곧 의지를 표현하는 것이기 때문이지요.
열정
=
의지 표현
목적에 대한 강한 의지는 실천력을 다르게 합니다.
의지가 약하다, 또는 의지가 강하다 하는 것은 곧 실천하는 힘, 또는 행동력과 연결되어 있지요.
의지가 약하다는 것은 쉽게 포기를 잘 한다는 뜻이고, 그런 사람은 어떤 일도 제대로 하지 못하지요.
둥
아, 농구도 이제 재미없다.

'그렇게 의지가 약해서 무슨 일을 하겠니? 성공한 사람은 의지가 강했기 때문이라는 것을 잊지 마라.' 이런 말 들어봤죠?

만날 들어요.

이 말은 동서양 구분 없이 그리고 옛날이나 지금이나 맞는 말이랍니다.

이러한 의지는 개인의 능력을 드러내줍니다.

오오~

의지를 성격과 관련한 것으로 보는 경우도 있지만, 나는 열정이라는 말을 쓰기로 했지요.

성격과 열정은 다른 것이랍니다.

왜냐하면 내가 말하는 의지와 관심 또는 의욕은 사적인 행동을 위한 것이 아닌

우오오오~!

전체적이고 일반적인 목적을 위한 행동에 꼭 필요한 수단이니까요.

네? 전체적이고 일반적인 목적이 뭐예요?

여기서 일반적인 목적이란 역사적으로 중요한 것이나, 사회 전체의 이익을 위한 것이라고 생각할 수 있어요.

일반적인 목적

역사적인 일 = 사회 전체의 이익

열정은 이러한 행동을 이끌어 가는 엔진과 같은 것입니다.

하지만 열정만 있다고 무조건 좋은 것은 아니죠.

열정에 대한 내 책의 한 구절을 소개하고 다음으로 넘어갑시다.

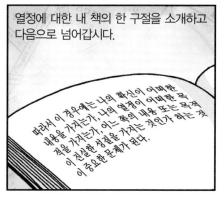

따라서 이 경우에는 나의 확신이 어떠한 내용을 가지는가, 나의 열정이 어떠한 목적을 가지는가, 어느 쪽의 내용 또는 목적이 진실한 성질을 가지는 것인가 하는 것이 중요한 문제가 된다.

자유 실현을 위한 수단-② 국가

나는 자유를 실현하는 두 번째 수단은 국가라고 생각해요.

이상한가요? 국가가 자유를 위한 수단이라니?

여러분, 내가 역사는 자유를 실현하는 과정이라고 한 말을 기억하지요?

자유

그렇다면 역사의 주인인 정신이 자유를 이 세상에 실현하기 위해 어디에서 어떻게 그 자유를 펼쳐가야 할까요?

나는 어디서 어떻게 활약하지?

바로 이 어디에서, 어떻게라는 문제를 해결하는 곳이 국가라는 뜻입니다.

국가에서 활약할 수 있겠어.

국가 속에서 자유는 자신의 모습을 남들에게 인정받을 수 있는 정당하고 구체적인 모습으로 나타낼 수 있습니다.

나는 국가 속에서 나를 증명할 수 있지.

자, 먼저 국가는 언제부터 있었을까요?

음… 세상에 태어나보니 국가라는 것은 이미 있었고….

부모님이 태어났을 때에도 국가는 이미 있었어요.

그렇지요. 나도 역시 오래전에 태어난 사람이지만 나의 국가가 만들어지는 것은 보지 못했어요.

그러고 보니 국가라는 것이 실제로 만들어지는 것을 본 사람은 아무도 없는 것 같군요.

국가를 내가 세운 것이 아닌 이상 보기는 힘들 것 같아요.

그렇다면 국가는 이 세상이 생겼을 때부터 함께 쭉 있었을까요?

그건 아니죠.

왜 그렇게 생각하지요?

그야 있었던 국가가 없어지기도 하고 없던 국가가 생기기도 하니까요.

맞아!

역시 똑똑해!

맞아요. 하지만 그렇다고 해서 국가가 하루아침에 뚝딱하고 만들어지는 건 아니지요.

네!

좀 다른 질문을 하자면 가족과 국가 중에서 어떤 것이 먼저 생겼을까요?

인류 역사에서 최초로 어느 것이 먼저 이루어졌을까요?

그야 당연히 가족이 먼저죠!

네, 가족이 먼저 생겼고 그 다음에야 국가가 생겨났죠.

이 순서는 국가가 무엇인가를 아는 데 중요한 정보를 준답니다.

가족이 생긴 후에 국가가 생긴 순서가요?

먼저 가족과 국가의 관계와 차이를 알아보면 국가를 이해하기가 쉬워질 것 같군요.

사실 국가를 한마디로 설명하기는 무척 힘든 일이니까요.

가족   국가

먼저 국가가 성립하는 단계에 대해서 알아볼까 해요.

누구나 사람이라면 가족이 있지요.

네!

부모 없이 이 세상에 태어난 사람은 없으니까요. 가족은 사람들이 맺는 인간관계 중에서 가장 가까이 맺는 자연적 관계이지요.

응애~

가족이란 계산을 미리 해서 따져보고, 마음에 맞는 사람을 골라서

자, 우리 이제부터 가족하자. 우리는 서로 마음이 잘 통하고 생각이 비슷해서 좋은 가족이 될 것 같아.

흥, 너 미쳤니?

만들어진 것이 아니고,

이봐, 미쳤냐니? 너무하잖아.

프, 프로포즈 한 건가?

자연적으로 서로 신뢰하고 사랑하는 마음을 가지고 만나서, 또 혈연을 통해 이루어집니다.

가족의 특징은 사랑, 믿음 등을 바탕으로 서로 이해하고 의지하는 공동체적인 사이라는 것입니다.

하지만 가족 또한 서로 마음을 상하게 하고, 그래서 갈등이 생기게 됩니다.

넌 또 공부 안 하고 어디 가니?

나 여태 공부했단 말이야!

때문에 가족이 모두 함께 약속을 지키고 서로 배려하는 마음이 있어야 해요.

수고하네, 우리 딸. 이거 먹고 쉬면서 하렴.

엄마, 고마워요.

가족은 사회와는 달리 서로 먼저 이해하고 양보하는 마음이 바탕을 이루고 있어요.

아까 엄마가 화내서 미안해.

아니에요, 괜찮아요.

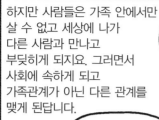

하지만 사람들은 가족 안에서만 살 수 없고 세상에 나가 다른 사람과 만나고 부딪히게 되지요. 그러면서 사회에 속하게 되고 가족관계가 아닌 다른 관계를 맺게 된답니다.

저를 뽑아주신다면 귀사에 보탬이 되도록 최선을 다해 노력하겠습니다.

오늘 새로 입사한 신입 사원입니다.

잘 부탁드립니다.

그러나 사회는 가족과는 달리 자신의 이익을 위해 경쟁을 하며 서로가 필요에 의해 만나게 됩니다.

너무 살벌해….

물론 서로 끌리는 마음도 당연히 있을 수 있지만 그건 제외하고요.

오~ 이쁜데!

지금 내가 말하는 것은 사회적 관계이고, 이런 관계는 이기적인 생각을 바탕으로 생깁니다.

탁탁   탁탁

사람은 누구나 자신의 이익과 만족을 위해 노력하는 존재이니까요.

월급 타려면 나도 열심히 일해야겠지.

이러한 관계가 두 번째 단계로서 나는 이 단계를 시민사회라고 표현한답니다.

시민사회는 사람들이 서로의 필요에 따라서 만들어진 것이기 때문에

나는 '필요국가'라고 말하기도 합니다.

이러한 시민사회는 가족과는 달라서 서로 희생하고 배려하기보다는

우리 딸 많이 아파?

으앙!

자신의 욕망을 채우는 것이 더 우선이지요.

우승은 내 거야!

내가 1등 할 거야.

하지만 이기적이라고 해서 꼭 부정적으로 생각할 필요는 없어요.

저런 이기적인 놈들!

다다…

자유 실현의 수단들 ━━● 149

왜냐하면 이러한 이기적인 욕심과 자신의 이익을 챙기려는 마음이 모든 사람에게 다 있기 때문이지요.

나도 1등 하고 싶다고!

이러한 이기심이 사회에서는 아주 중요한 역할을 하고 있답니다.

좋아, 나도 보란 듯이 이겨보겠어!

하지만 혼자서 모든 일을 다 해결할 수는 없기 때문에 다른 사람의 도움이 필요합니다.

저기, 저 좀 부축해 주실래요?

?

그래서 서로 의존하게 되지요. 그리고 혼자보다는 서로 함께 도우면서 사는 것이 더 좋은 방법이라는 것을 알게 되지요.

조금만 오른쪽으로 뛰세요.

내가 이래봬도 예전에 육상 선수 출신이라고요.

각자의 욕망과 이기심을 만족시키기 위해서는 서로 사이좋게 일을 나누고 협동할 수밖에 없다는 것을 알게 된답니다.

와, 정말 빠르네요.

그럼요!

휘익

예를 들어 한 사람은 사냥을 잘하고, 한 사람은 농사를 잘 짓는다면, 어떻게 하는 것이 두 사람에게 이로울까요?

사냥 가나?

그렇네. 농사 잘 짓게나.

두 사람 다 건강하고 행복한 생활을 하려면 곡식도 필요하고 고기도 없어서는 안 됩니다.

그러니까 두 사람이 같은 일을 하는 것보다는 자기가 더 잘하는 것을 하고,

필요한 것을 서로 교환하는 게 훨씬 현명하고 효과적이죠.

스윽

이것이 바로 시민사회의 특성입니다.

따라서 사회생활이라는 것은 무조건적인 희생과 양보보다는 서로 합의하고 약속한 것을 지키고 책임지는 것이 중요하답니다.

그래서 이러한 시민사회가 잘 유지되려면 싫어도 질서를 지켜야 하지요.

어느 한 사람이 자신의 이익만을 생각한다면,

야, 미쳤어?

그 다음에는 너도 나도 자신의 이익만을 챙기려 할 테니 큰 혼란이 일어날 수밖에 없지 않겠어요?

야, 어디서 빵빵 거려? 뿡이다.

그래서 사회는 이기심을 바탕으로 하긴 하지만, 모든 사람이 바로 자신을 위해 질서와 약속을 지켜야 하는 공동체이지요.

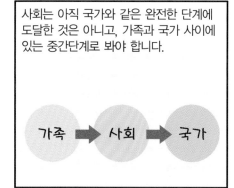

사회는 아직 국가와 같은 완전한 단계에 도달한 것은 아니고, 가족과 국가 사이에 있는 중간단계로 봐야 합니다.

가족 ➡ 사회 ➡ 국가

가족과 사회를 공부하면서 이제 그 차이가 무엇인지 확실히 알았겠지요?

네, 가족은 자연스럽게 맺어진 것이고,

사회는 서로가 자신의 이익을 위해 이루어진 연합체 또는 조직체입니다.

그러니까 사회는 각각의 개인들로 이루어진 단체입니다.

또한 가족에 속하는 사람들이 밖에 나가 사회생활을 할 때, 아버지나 어머니 또는 아들과 딸로서 하는 것이 아니고

서로가 대등한 개인으로 하는 것을 보면 가족과 사회는 많이 다르다는 것을 쉽게 알 수 있지요.

그러나 이러한 차이에도 불구하고 하나의 중요한 공통점이 있는데 그것을 나는 '인륜'이라고 말합니다.

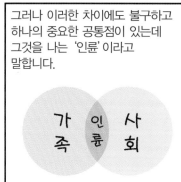

가족 인륜 사회

인륜은 아주 중요한 것이지요.

인륜이라는 말은 나의 역사철학을 알려면 꼭 기억해야 합니다.

인륜이라는 것은 사람이 사람으로서 살기 위해 알고 지켜야 하는 것으로, 자신이 속한 공동체의 도덕과 윤리랍니다.

아줌마, 여기 앉으세요.

고마워요. 학생!

이 지구상에 사는 사람 중 누구도 철저하게 다른 사람들과 단절하고 혼자 살면서, 아무하고도 관계가 없는 사람은 없어요.

사람은 태어나면서부터 가족이 있고, 자라면서 학교나 놀이터에서 친구를 사귀게 되고, 이웃을 만들면서 살아가기 때문이지요.

와아ー.

결국 크든 작든 하나의 공동체에 속하게 되고, 서로 관계를 맺고 도움을 주기도 받기도 하는 생활을 한답니다.

나 어제 이사 왔어.

그래? 반가워!

그런데 이러한 사이에는 가족이든 사회생활이든 서로 지켜야 할 것들이 있게 마련이지요.

바로 이것이 인륜입니다.

이러한 인륜이 없거나 지켜지지 않는다면 공동체는 깨지고,

아얏!

사과도 안 하고 그냥 가네!

사람 사이는 갈등으로 엉망이 돼서 결국 모든 사람은 불행하게 될 것입니다.

발을 밟았으면 사과를 해야 될 거 아냐?

그냥 넘어가면 안 돼?

안 되거든!

그래서 인류을 지킬 때 사람들은 자기 생각대로 하고 싶은 갈등을 없애고 전체의 관습과 윤리를 벗어나지 않을 수 있어요.

아얏!

아, 이거 미안하네.

따라서 인간이 서로 관계를 맺고 살 때는 무엇보다도 인륜이 바탕이 되어야 합니다.

많이 아픈가?

괜찮습니다.

이러한 윤리적인 공동체 생활은 세 가지의 발전단계를 거쳐 가장 좋은 상태로 발전하게 됩니다.

첫째가 가족, 둘째가 사회, 마지막은 국가입니다.

이제 국가가 하는 일이 무엇인지 알아볼까요?

국가는 개인의 이익과 필요를 하나로 통합시켜서 그들의 자유와 권리를 보장해야 하지요.

앞에서 가족과 시민사회는 서로 다른 이유와 원리로 이루어진다고 한 것을 기억하지요?

네!

특히 이익과 필요 때문에 성립하는 시민사회에서는 사실 누가 더 많은 것을 가지느냐 하는 것이 중요한 관심거리인 만큼 서로에 대한 배려보다는 자기 목적을 이루는 것을 더 중요하게 여깁니다.

골라! 골라!

골라! 골라!

왕성 왕성

왕성 왕성

따라서 사람들은 다른 사람을 그저 계산적으로 대하기 쉽죠.

윽, 사람이 다 돈으로 보여.

국가는 이러한 가족과 사회의 차이를 통합시켜서 서로 조화를 이루도록 하는 역할을 해야 합니다.

국가

가족 사회

사람들이 더 나은 생활을 할 수 있도록 말입니다. 개인은 국가에게 권리를 보장받고 의무를 지키면서 행복한 삶을 살 수 있는 것이죠.

하지만 사람들이 저마다 아무런 기준 없이 주관적으로 자유를 누리려 한다면

술 마시고 운전하는 것은 내 자유야!

사회는 큰 혼란에 빠질 수밖에 없어요.

때문에 국가는 개인의 주관적인 자유를 실제로 얼마나 누릴 수 있는지에 대한 기준을 알려줍니다.

음주 운전은 살인미수나 마찬가지입니다.

나오세요.

윽!

또한 그 기준을 정하기 때문에 국가를 '윤리적 이념들의 실현' 이라고 말한답니다.

국가 없이는 자유도 없는 것이지요.

국민 각자가 누릴 수 있는 자유를 보장하고 지키도록 하는 것,

이러한 자유야말로 주관적이지 않은, 정당하고 객관적인 자유이지요.

그리고 이러한 자유의 완전한 실현이 곧 역사의 목표라는 것이 나의 생각이랍니다.

하지만 이렇게 국가가 자유의 기준을 정하고, 현실에서 각자 누릴 수 있는 자유를 보장한다 해도,

실제 우리 자신이 자유를 바로 알고, 생활 속에서 제대로 누리면서

이봐, 한잔만 해.

안 돼, 나 차 가지고 와서….

자유의 경계선을 넘지 않는 것은 결코 쉬운 일이 아닙니다.

에이, 그러지 말고~

자유국가에서 술 한잔 못한다는 게 말이 되나?

그럼, 하, 한잔만 할까?

왜냐하면 대부분의 사람들은 자신의 이익과 욕심을 가장 먼저 생각하기 때문입니다.

대리 운전사 부르면 돈 아까우니까 내가 운전해야지~

또한 사람들이 수긍할 수 있는 일반적인 국가의 목적이 무엇인지 아는 것 역시 대단히 어렵기 때문이지요.

사람마다 기준이 애매모호하니까요.

그래서 국가는 개인적인 이익과 사회적인 이익, 그리고 국가적인 목표가 서로 합의되고 일치되도록 하기 위해 많은 일을 해야 하지요.

바로 요 부분을 국가가 찾아야 해요.

개인적인 이익

사회적인 이익

국가적인 목표

일치가 이루어져야 한다는 것은 무조건 어느 한쪽을 억누르기만 해서 될 일이 아니니까요.

국가의 이익을 위해 개인의 이익은 무시해도 돼!

뭐라고?

꺼져!

일치가 이루어지기 위해서는 예를 들면 많은 시설을 갖추고,

흡연실

사람에게 필요한 계몽과 교육을 하고 긴 시간 동안 이성적인 노력을 계속해야 합니다.

길거리에서의 흡연은 타인에게 불편을 주는 행동이므로 흡연실에서….

그렇게 국가 안에서 서로 일치된 목표를 세울 때,

시민

정치가

기업가

국가는 강해지고, 전성기를 맞으며 서로 행복한 시기를 누릴 수 있게 된답니다.

이제부터 역사가 이루어지는 실제적인 현장의 이야기를 할게요.

흔히 우리가 역사라고 말하는 것들이 바로 이 부분이지요.

보통은 역사에 남겨진 이름과 역사를 같은 것으로 보기도 하는데 우리는 조금 다른 눈으로 역사의 현장을 살펴볼 것입니다.

헉!

우선 인류의 역사는 인류의 자유를 펼쳐가는 과정이고, 이러한 자유는 순간순간 이해하기 어려운 모습으로 나타난다고 하더라도 결코 피할 수 없어요.

무력으로 우리를 막을 수 없어!

그 이유는 역사를 이끌어 가는 힘은 사람의 생각이나 능력이 아니고 절대정신이라고 하는 것으로,

자, 잠시 쉬었으니 가볼까?

역사

그 자체로서 완벽하고 다른 모든 것을 포함하는 절대자, 또는 신의 의지와 같은 것이기 때문이지요.

이렇게 절대정신, 즉 이성이 역사의 주인이라면 역사에서 인간이 하는 일은 무엇이고, 역할은 무엇일까요?

이제부터 그 이야기를 하도록 해봅시다.

우리의 열정과 의지를 다해서 우리가 좇고 싶은 것, 그것을 바로 '이념'이라고 말하지요.

하지만 내가 말하는 이념은 단순히 좋고 고상한 것이 아니고, 역사 속에서 펼쳐지는 이념입니다.

절대정신이나 자유라는 말과도 뜻이 통하는 개념이랍니다.

그래서 이념은 주관적인 생각과 객관적인 생각의 차이가 하나로 통일되고,

같은 생각…

내가 알고 있는 것과 실제의 모습이 차이가 없는 상태를 말한답니다.

와, 이 나라는 듣던 대로 자유가 보장된 나라구나.

예를 들면 우리가 자유의 이념을 추구한다고 말하면, 그 말은 먼저 우리가 아는 자유라는 말의 개념과 자유가 실제 현실에서의 모습에 차이가 없이 일치된 것을 뜻합니다.

또 정의나 민주주의 정신도 마찬가지죠.

이념에는 서로 대립되는 생각이나, 너와 나의 차이나, 의미와 현실의 차이가 있을 수 없고 서로 통일되고 조화를 이루고 있어요.

이념은 처음부터 끝까지 논리적인 사고를 통해서 얻어지는 것이죠.

우연히 얻은 것처럼 생긴 것이 아니랍니다.

이념은 처음부터 완성된 것이 아니고, 서로 대립되는 것들을 통해서 발전하고,

스스로 반성하면서 다시 대립되는 것을 극복하여 발전된 모습을 보입니다.

이렇게 모순 또는 대립을 근본원리로 하여 사물의 운동을 설명하는 논리를 '변증법' 이라고 합니다.

대립이란 현재의 상태에 반대하거나 부정하는 것을 말하고, 바로 이 대립이 정신에서든 현실에서든 큰 발전을 하게 하는 원동력이지요.

촛불집회는 곧 반정부 시위입니다.

아닙니다. 시민들의 의사 표현의 한 방법일 뿐입니다.

그래서 나는 욕먹을 각오를 하고 이렇게 말한답니다.

대립이 없는 시기는 역사에서 불행한 때입니다.

물론 심한 대립의 상황을 겪어야 하는 사람은 고통도 심하지만

당신이 독재를 겪어 봤어?

하하….

역사 전체를 길게 본다면 대립이라는 것은 더 나은 발전을 위해서 피할 수 없다는 뜻이랍니다.

네?

행복한 시기란 세계사에 있어서 공백의 페이지다. 왜냐하면 이 같은 시기는 조화의 시기이고, 대립을 결여한 시기이기 때문이다.

역사에서 대립이 없는 시기는 조용한 시기이고,

현실의 잘못된 것을 고치고 더 나은 목표를 향해 확실한 이념을 가지고 모든 사람이 함께 좇았을 때는

개헌!

개헌!

개헌

분명 큰 발전이 있었던 때였습니다.

대통령 직선제를 치르겠습니다.

와아~

예를 들면 여러분의 선조들이 이웃나라의 침략을 막아내 독립과 자유를 지켰고,

독재정권에 항거하고 민주주의 이념을 위해 많은 사람들이 싸웠던 것이 이러한 좋은 예지요.

가라!

물러가라!

물러가라!

자, 그럼 이번엔 이러한 이념이 어떻게 역사에서 이루어지는지 살펴볼까요?

역사에서 절대이념에 도달하기까지는 아무리 훌륭한 시대와 사회라 하더라도,

즉 자유가 보장되는 사회라 할지라도 말입니다.

새로운 생각과 제도에 따라 변화하고 이러한 변화를 주도하는 사람들이 나타나게 마련입니다.

이러한 사람들을 통해서 이념은 한 발자국 더 앞으로 나가게 되는데, 나는 이러한 사람들을 '세계사적 개인' 또는 '역사적 인물'이라고 말한답니다.

인간은 모두 평등합니다!

세계사적 개인 또는 역사적 인물이란 '그가 세운 목적이 세계 역사와 인류 전체의 발전을 위한 이념과 같을 때'를 말합니다.

모든 사람이 평등하고 자유를 누리며 살도록 우리는 힘을 합쳐야 합니다.

링컨, 만세!

내가 잘 아는 예를 들자면 로마 제국의 유명한 군인이며 정치가였던 카이사르죠.

안녕, 내가 카이사르야.

그런데 잠깐!

세계 역사와 인류 전체의 발전을 위한 이념과 같은 개인적 목적을 세운 사람을 세계사적 개인이라고 한 것은 중요한 이유가 있습니다.

세계사적 개인이라고 해서 처음부터 세계 역사의 발전을 위해 어떤 목적을 세운 것이 아니라는 것이죠.

나는 세계 평화와 인류의 발전을 위해….

거짓말!

개인이 세운 목적은 아무리 훌륭한 것이라 해도 개인의 야망과 욕심이 뒤섞인 것이기 때문에 공공의 이익만을 생각한 순수한 것이라 할 수 없어요.

나의 명예가 높아졌겠지?

카이사르 역시 로마의 영웅으로 적들과 싸웠지만,
자신의 명예와 야망을 위해 싸우기도 했지요. 애초부터
로마 제국의 발전만을 생각한 것은 아니었어요.

공격하라!

하지만 그 결과는 로마의 발전과 번영으로 나타났고,
카이사르의 막강한 권력은 분명히 독재였지만,
개인의 이익보다는 한 시대의 이익으로 나타났습니다.

이런 사람을 나는 역사를 만들어낸
영웅으로 말한답니다. 이들은
자신이 한 일의 의미와 중요성을
다 알지 못한 채 자신의 목표를
위해 행동했어요.

왔노라,
보았노라,
이겼노라!

와아아아~~!

하지만 이들 개인의 목표와 행동 속에는 인류의 역사가 발전하도록 하는
정신이 숨어 있는 것이라고 생각합니다.

후후후~ 내가
생각한 대로
되고 있군!

그러니까 이러한 개인은 자신의
목적과 야망이라고 생각하지만

와아~

사실은 역사를 이끌어 가는
절대정신이 그 뜻을 드러내고 알리기
위해 개인의 힘을 빌린 것이죠.

왜냐하면 정신이 자기 스스로를
나타낼 수 없기 때문에, 이러한
뛰어난 개인들을 '역사의
도구'로 삼은 것이죠.

그래서 겉으로 보기에는
영웅들이 자신의 목적을 위해
용기 있게 행동하는 것처럼
보이지만

얍!

회익

이들의 목적과 행동 속에 자유와 같은
인류 전체를 생각하는 숭고한 이념이
있는 것은 아니라는 말이에요.

나의 욕심을 위해
싸웠다고 볼 수 있지.

이들은 보통 사람들과는 달리 자신이 살고 있는 시대와 사회가 바라는 것이 무엇이고, 나아가야 할 방향이 무엇인지를 꿰뚫어 보는 사람들입니다.

바로 이러한 통찰력을 가진 것이 영웅들의 뛰어난 능력이죠. 후후후!

이들은 남보다 앞서서 나가는 사람들로서, 남의 뒤를 따르기보다는 사람들로 하여금 자신을 따라오게 만들지요.

와아!!

나를 따르라!

하지만 이러한 세계사적 인물들의 운명이 꼭 행복한 것이 아니죠.

이들은 언제나 전쟁을 하거나 적들의 공격 위험에 빠져 있거나, 아니면 비참한 운명을 맞게 되니까요.

브루투스, 너마저….

그렇지만 이들은 편하고 행복한 삶보다는 어떤 어려움에도 자신들이 정당하다고 생각하거나 꼭 필요한 일이라고 생각한 것을 행동으로 옮겼지요.

행동하지 않는 양심은 악이다.

그렇기 때문에 영웅들은 위대하다는 말을 들을 수 있는 것이랍니다.

그냥 쉽게 되는 건 없네요.

그런데 많은 사람들은 영웅이 뛰어난 열정을 가진 것으로 평가하지 않고, 오히려 이들이 욕심에 사로잡혀 옳지 못한 일을 했다고 비난하기 좋아하지요.

독재자! 바람둥이! 성격파탄자!

휘약

그러고는 영웅들의 사소한 일에 사로잡혀 이러쿵저러쿵 하기를 좋아하죠.

나폴레옹은 숏 다리래!

정말? 큭큭큭!

?

당연히 영웅들도 사람이니까 수다를 떨기도 하고 먹고 마시고, 화를 내고 감동하기도 하죠.

뭐얏?

깜짝!

그런데 왜 그런 사소한 것들이 중요한 관심거리가 되는지 모르겠군요.

어머, 다리도 짧은데 성격도 더러워.

성격파탄자!

크…

물론 영웅이라 할지라도 정말 중대하거나 신성한 것을 우습게 여기면 비난 받아 마땅하지만,

전에 말한 인륜을 무시하는 것 같은 일은 비난 받아 마땅하지요.

그렇지 않은 경우라면 나는 이렇게 말하고 싶어요.

시종의 눈에는 영웅이 없다.

우리들의 눈으로 역사를 보면, 늘 서로 싸우고 대립하는 것으로 보이죠?

그것은 개별적인 목적과 이익을 위한 것 때문에 생기는 일이랍니다.

우리에게 쉴 시간을 줘.

이번 일 마무리하면 쉽게 해줄게.

역사의 주인인 이성은 오직 인류 전체를 위한 자유를 실현하는 데 목적을 세우고 이러한 과정에서 영웅들이 나타나 활약하지만,

세계 정복을 위하여!

이러한 영웅들은 자신의 역할과 임무를 다하면 역사의 무대에서 사라지게 되거든요.

으윽, 나 죽어.

세계의 역사가 진정으로 나아가야 할 방향으로 이끌어 가는 목적에는 이러한 갈등과 대립이 없어요.

그리고 역사는 묵묵히 자신의 목표를 향해서 나갑니다.

바로 자유를 향해서!

자유

이처럼 역사의 참된 목표에는 대립과 혼란이 없는데, 영웅을 역사의 주인으로 보기 때문에 우리 눈에는 그렇게 보일 뿐이죠.

영웅은 끊임없이 무언가 대립하는 존재로 역사에 나타나기 때문입니다.

사실 이러한 개인들은 역사를 위한 희생물일 뿐이랍니다. 그들은 역사의 목적을 위해 활약했고, 또 다른 영웅을 위해 자리를 비켜줘야 하지요.

야, 저리 가! 이제 내 차례야.

퍽

크윽!

역사는 계속 자신의 길을 가야 하니까요.

분하다.

미안, 역사의 발전을 위해 어쩔 수 없어.

나는 이러한 역사의 모습에서 사람들의 욕망을 너무나 작고 하잘 것 없이 만드는, 숨어 있지만, 역사의 진정한 주인인 이성의 활약을 봅니다.

다음에는 저쪽 편을 들어줘야겠는걸!

그리고 나는 이것을 '이성의 간계'라고 이름 붙였지요.

개인의 가치

끝으로 이제 개인의 가치에 대해 간단히 말하고 자유를 위한 수단에 관한 내용을 마치기로 하겠습니다.

사실 나도 개인의 가치를 수단으로 볼 수 있는지 없는지는 애매하다고 생각해요.

왜요?

왜냐하면 개인의 가치는 어떤 목적을 위한 방법이나 도구로 볼 수 없고

그 자체로 고귀한 것이니까요.

그럼 개인의 가치는 어떤 모습으로 나타날까요?

좋은 질문이에요. 다름 아닌 도덕성, 인륜, 그리고 종교성이죠.

이러한 것은 신적인 성질과 같답니다.

나는 인륜 그 자체이지.

오직 인간만이 선과 악을 구별해 무엇을 선택할 것인지 아는 능력을 가졌습니다.

아저씨, 저기에서 떨어진 봉투 가져왔어요.

헉, 돈이 엄청 많네.

인간은 또한 자신의 자유로 인해 생기는 선과 악에 대해 책임질 줄 아는 유일한 동물이지요.

학생, 고맙네! 우리 딸 수술비였는데….

하하, 사례금 안 주셔도 돼요.

이러한 숭고한 특성은 사람이라면 누구에게서나 볼 수 있는 인간적인 모습이지요.

정말 고맙네.

히히~!

그래서 이러한 종교심과 인류는 '보편적'인 것이고, 타고나는 것입니다.

나는 이러한 인간의 특성을 수단이라고 말합니다.

흔히 사람들은 수단보다는 목적이 더 중요하다고 말합니다.

하지만 실제로 목적과 수단 관계는 그렇지 않답니다.

정신의 목적>수단
(X)

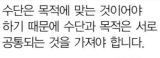

수단은 목적에 맞는 것이어야 하기 때문에 수단과 목적은 서로 공통되는 것을 가져야 합니다.

남을 돕는 후원금 마련을 위해 범죄를 저지른다면 잘못된 수단으로 목적을 이루는 것이지요.

사람은 신적인 특성을 가진 존재로서 자기 자신 스스로가 목적이죠.

내 자신이 목적이야.

따라서 인간은 자신의 특성과 아무 상관이 없는 수단으로 신으로부터 얻은 목적을 실현할 수 없어요.

오직 인간의 특성으로만 신으로부터 얻은 목적을 실현할 수 있답니다.

결국 인간이 세운 정신의 목적과 수단은 같다는 말입니다.

어떤 물건을 만들거나 건물을 짓는 것과는 다른 일이지요.

정신의 목적=수단
(O)

인간이 목적하는 것은 자기 안의 신적인 특성을 더욱 실현하는 것이고.

뭐 하는 거야?

그러기 위해서는 본래 자기 안의 것을 수단으로 할 수밖에 없습니다.

바로 이 '이성'을 가지고요.

아….

이성

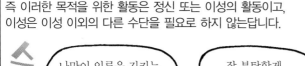

즉 이러한 목적을 위한 활동은 정신 또는 이성의 활동이고, 이성은 이성 이외의 다른 수단을 필요로 하지 않는답니다.

나만이 인류를 지키는 기준을 알고 있지!

잘 부탁할게.

이러한 이유로 내가 주저하면서도 개인의 가치를 수단으로 보는 이유입니다.

제6장

자유가 실현된 모습과 세계 역사

자유가 실현된 모습, 국가

이번에는 자유가 이루어진 모습으로서의 국가를 말하려고 합니다.

내가 목적과 수단은 서로 다른 것이 아니라고 했던 말, 기억하죠?

국가는 수단이기도 하지만, 또 자유라는 목적이 이루어져 가장 확실하게 나타난 모습이기도 합니다.

국가에 대한 나의 생각은 《역사철학 강의》보다는 《법철학》이라는 책에서 더욱 자세히 설명하고 있어요.

이 책은 법을 공부하는 사람들에게 아주 중요하지요.

법철학

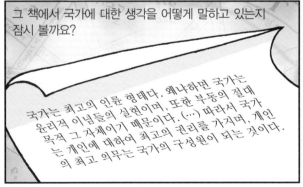

그 책에서 국가에 대한 생각을 어떻게 말하고 있는지 잠시 볼까요?

국가는 최고의 인륜 형태다. 왜냐하면 국가는 윤리적 이념들의 실현이며, 또한 부동의 절대 목적 그 자체이기 때문이다. (…) 따라서 국가는 개인에 대하여 최고의 권리를 가지며, 개인의 최고 의무는 국가의 구성원이 되는 것이다.

국가는 가장 높은 수준의 도덕과 윤리가

합체! 번쩍!

도덕 윤리

현실적으로 모습을 나타낸 것입니다.

국가

슈우웅

다시 말하면 국가는 개인들의 자유와 권리를 평등하게 보장하고, 사회적으로 통합된 목적을 갖도록 하는 역할을 합니다.

국가

시민사회에서는 가족과는 달리 서로에 대한 배려와 양보보다는 자기가 원하는 것을 얻고 싶어해요.

꺅!

꺅!

60% 세일

어떻게 해서든 자기 욕심을 채우고 싶어하지요.

이 옷은 내 거야!

무슨 소리! 내가 찜한 거야.

이런 상황에서 사람들은 그저 계산적으로 다른 사람을 대하게 되죠.

흥!

휙

웃겨!

하지만 이런 상황을 그대로 두고만 본다면 많은 문제와 갈등이 생기고 싸움도 일어날 거예요.

야이, 나쁜!

뭐라고?

누군가 나서서 해결하면 좋지만, 한두 사람이 나선다고 해서 해결되진 않습니다.

저기, 그만들 싸우시고….

왜냐하면 사람들은 서로 각자에게 유리한 입장에서만 보기 때문에 자신의 잘못이나 부족함을 인정하지 않기 때문이죠.

빽~

내가 먼저 집었으니 내 거지!

아냐, 내가 먼저 집었다고!

그래서 서로가 인정하고 따를 수 있는 힘과 기준 그리고 정당하게 통솔할 수 있는 능력이 필요한데,

그것이 바로 국가입니다.

오오오!

국가

국가는 가족과 사회의 차이를 통합해 서로 조화롭게 만드는 일을 합니다.

자, 하나로 묶었으니 서로 상부상조 하며 살라고.

국가

또한 국가는 더 나은 공동체 생활에 필요한 자유에 대한 여러 기준을 만들고, 이것을 지키도록 합니다.

그래서 개인들이 권리를 보장받고, 이에 따르는 의무를 지키면서 행복한 삶을 살 수 있게 하지요.

안녕하세요~!

네! 식사하셨어요?

우리는 마음 내키는 대로 하는 것이 옳지 않다는 것을 알고 있지만, 태어나면서부터 알고 있는 사람은 아무도 없어요.

엄마, 저거 사줘요! 잉잉~

모두가 배워서 알게 되는 것이지요.

그래, 처음부터 아는 사람은 없지.

헉!

이것을 바로 공동체의 윤리, 인륜이라 하고, 이것을 통해 개인은 자신의 주관적인 자유를 현실에서 얼마나 누릴 수 있는지 알게 됩니다.

아무 때나 떼를 쓰면 안 되는구나….

바로 그 기준이 국가 안에서 정해지죠. 그래서 나는 국가를 '윤리적 이념들의 실현'이 이루어진 모습, 또는 '구체적인 자유의 현 실태', 즉 자유가 현실에서 직접적으로 알 수 있게 나타난 모습이라고 말한답니다.

나는 자유의 모습이 현실로 나타난 최종 형태라고 할 수 있지.

다시 말하면 국가 없이는 자유도 없지요.

만약 국가가 없다면 어떻게, 또 누구에게 자신의 자유를 주장할 수 있겠어요?

개인은 국가 안에서 자신의 자유를 누리고 자유에 대한 권리를 주장할 수 있어요.

나는 축구 선수가 될 자유가 있어.

외국에 나가 사는 경우라든지,

또는 강제로 나라를 빼앗겼을 경우 너무나 당연한 자유조차도 잃어버리게 된다는 것을

나는 태극기를 달고 올림픽 마라톤에 출전하고 싶습니다.

여러분도 역사를 통해 배웠을 것입니다.

웃기고 있네!

아, 참! 여기서 말하는 자유는, 주관적이고 일시적인 충동이 아닌,

아~ 오늘 학교 가고 싶지 않다.

예를 들면 마음껏 게임을 하고 싶은 자유, 또는 학교에 가고 싶지 않은 자유 같은 아무도 인정할 수 없고, 이해할 수 없는 그런 것을 말하는 것이 아닙니다.

히히히~ 재미있다.

너 학교 안 가?

오늘 개교기념일이에요.

내가 말하는 자유는 누가 봐도 정당하고 윤리적으로도 타당한, 객관적인 자유이지요.

너네 학교는 개교기념일이 일 년에 두 번이니?

학교 다녀오겠습니다!

국가의 최고 목적이 인륜을 위한 자유라고 한 이유는 국가가 단순히 개인들의 집합이 아니기 때문입니다.

단순히 사람들이 모였다고 국가가 되는 것이 아니에요.

또한 국가의 목적이 개인들의 생각과 이익을 합한 것이 결코 아니기 때문이에요.

개인들의 이익을 위해 모였다고 국가가 되는 것은 아닙니다.

국가

국가는 커다란 유기체이고, 개인이 그 안에서 인륜적인 생활을 함으로써

괜찮아요?

여기 약을 발라요.

고마워요.

참된 인간성을 가질 수 있도록 하는 이성적인 목적과 계획을 가지고 나아가는 공동체입니다.

따라서 우리는 국가 안에서 인간다운 모습으로 살아 갈 수 있지요.

국 가

국가 밖에서는 인륜도, 인간성도 필요하지 않고, 또한 자유에 대한 보장도 없어요.

나의 인권과 자유를 보호해 줘.

웃기고 자빠졌네.

이렇게 보면 국민은 국가에 복종하는 것이 당연하지 않을까요?

크험!

국가

국가가 이렇게 바람직한 도덕과 윤리를 바탕으로 완벽한 공동체를 이룬다면 이에 반대하거나 거부할 이유가 없다고 생각합니다.

불만거리가 없으니 복종해도 상관없어!

그러므로 국가는 절대적이며 나아가 하나의 거대한 인격체와 같습니다.

즉 국가는 부분과 부분들을 연결하고 통합해서 하나의 전체를 이루고, 개인들은 이러한 전체의 구성원이 되죠.

그리고 개인의 목적과 관심이 국가의 목적과 일치할수록 국가는 강해지는데,

이때를 한 국가의 전성기라고 하지요.

이렇게 국가가 인류를 통해 인간다운 삶과 행복을 위하는 것은

곧 이 세상에 나타난 '신의 흔적'이라고 생각합니다.

그래서 나는 국가를 '신적 이념'과 같은 것이라 생각 한답니다.

따라서 세계의 역사에서 중요한 것은 단순히 어떤 개인이나 민족이 아니라 국가를 이룬 민족입니다.

국가가 없는 민족은 세계 역사의 무대에서 중요한 역할을 할 수도 없고,

먹고살기도 바쁜데 무슨 역사야!

또한 야만 상태에 있는 것과 다름이 없기 때문에 역사 자체가 없다고 봐야 하지요.

뭐 하루하루 그냥 사는 거지. 역사는 무슨….

역사가 없는 민족이 세계의 역사에서 중요한 역할을 할 수 없다는 것은 당연한 일이겠지요?

노예로 끌려가다니…. 흑흑!

이러한 뜻에서 나는 민족이라면 국가를 세워야 한다고 생각한답니다.

우리가 힘을 합쳐 나라를 세웠다면 이렇게 노예가 되진 않았을 텐데….

그러게 말야.

국가는 개인의 주관적인 목적이나 자유를 절대적인 자유로 완성하고, 가정과 사회의 바탕이 되는 인륜을 더욱 발전시킨 가장 이상적인 윤리 공동체이기 때문입니다.

이러한 이유에서 국가는 자유가 실현된 모습이라고 말하는 것입니다.

자유가 실현된 모습이 바로 국가야.

자유는 제한됨으로써 오히려 실현됩니다.

무슨 이상한 이야기예요?

제한하는데 오히려 자유가 실현된다니….

하지만 이것은 말장난도 아니고 궤변도 아닌 자유의 독특함이랍니다.

우선 내 이야기를 시작할까요?

네!

먼저 국가는 자유를 실현하는 것이라고 하는 생각에 반대하는 이유를 말해야겠군요.

나는 반대합니다!

인간은 태어날 때부터 자유로운 존재인데,

응애!

인간이 성장하면서 사회와 국가 속에서 오히려 이 자유가 제한되고 구속된다는 것입니다.

구해줘!

인간이 태어날 때 자유롭게 태어난다고 하는 것은 틀린 말이 아니지요.

그건 맞는 말입니다.

그러나 이러한 자유는 인간이 어떠한 조건도 관계 없이 자연 상태로 있을 때에만 맞는 말입니다.

즉 인간의 본성이 자유이고, 이 본성이 그대로 지켜지는 상황이 계속된다면 인간이 자유라고 하는 것은 당연히 맞는 말이죠.

이러한 상태에서는 자유를 무제한 누리고 즐길 수 있게 되죠.

하지만 이러한 자연 상태에서 누리는 자유가 우리가 원하는 그런 자유인지 좀 더 두고 볼 일입니다.

이러한 자연 상태라는 것이 실제로 있었다 하더라도 그곳에 정말 완전한 자유가 있을까요?

당연하지! 난 자유롭다고!

먼저 완전한 자연 상태가 어떤 것인가를 조금 더 알아보는 것은 자유를 올바로 이해하는 데 아주 큰 도움이 될 것입니다.

자연 상태라는 것은 모두에게 아무 조건도, 제한도 없는 것을 말하고, 말 그대로 무제한의 자유만이 있는 것을 뜻하지요.

달려!

그런데 바로 여기에 문제가 있어요. 이러한 무제한의 자유는 모든 사람들이 다 누리고 있다는 것이죠.

응?

크르르~

과연 이것이 자유일까요? 잠시 내가 쓴 책의 내용을 소개하겠습니다.

자연 상태는 오히려 불법의 상태이고 폭력의 상태이며, 비인간적 행위와 감정의 방종한 자연적 충동의 상태에 지나지 않는다.

자연 상태에서 누릴 수 있는 자유를 모두가 가졌다면 자유가 아니라 폭력이 난무하게 될 거예요.

켁!

퍽퍽

아무도 자신의 잘못을 알고 반성할 필요도 없을 것이고, 자기 이익만 챙기려 들 것이 확실합니다.

흑흑흑!

그저 하고 싶은 대로 하는 사람들, 힘센 사람이 약한 사람을 마음대로 괴롭히거나 '왕따' 시켜도 당당한 세상…

캬캬캬!

퍽퍽

케케케!

글쎄, 이런 모습을 보고 우리가 과연 인간다운 모습이라고 할 수 있을까요?

흑흑흑!

이러한 자연 상태에서는 범죄가 무엇인지, 악이 무엇인지 알지도 못하고, 알 필요도 없고, 아니 범죄라고 하는 것 자체가 없으니, 제한 없이 자유를 누리죠.

여하튼 엉망진창….

으윽!

어떻습니까? 이런 자유…. 우리가 바라는 자유일까요?

나는 이런 자유는 결코 우리가 바라는 자유도 아니고, 인류의 역사가 목표로 하는 자유도 아니라고 생각합니다.

이거 엉망진창이구만!

왜냐하면 이런 자연 상태는 사람들이 동물처럼 '야만 상태'에 머물러서 그저 본능과 욕망대로 살아가는 것을 말하니까요.

따라서 자유에 아무런 제한도 양보도 공공의 약속도 없다면, 사람들이 얻는 자유는 인간다운 자유가 아니라 다만 동물적인 자유만이 있을 뿐입니다.

아우우

자, 이제 제한이 없다면 자유도 없다는 것을 분명히 알게 되었을 것입니다.

우워워!

이러한 제한, 즉 '여기까지는 자유지만, 이 선을 넘어서면 자유가 아니고 방종이야.'라고 말하는 것은 구속이나 억압이 아니고,

남에게 피해를 주는 자유가 바로 방종이지요.

자유를 지키고 실현하기 위해 나온 것으로 보는 것이 옳습니다.

이렇게 자유를 위한 제한이 바로 인륜과 법의 형태로 나타나는 것이죠.

법 인륜

그래서 나는 인륜과 법은 원래 자유와 같은 의미이고, 하나라고 말한답니다.

인륜과 법에 의해 인간의 충동, 욕망, 열정, 주관적인 의지 등이 제한받게 되면 마치 자유가 억압받는 것처럼 보이지만,

그 선을 넘으면 안 돼.

왜 나의 자유를 억압하는 거야?

이러한 제한이야말로 인간의 진정한 자유를 위한 것이죠.

다 너의 자유를 위한 거야.

그, 그래?

그리고 이러한 제한은 국가와 사회의 틀 안에서 생기게 됩니다.

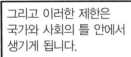

국가의 틀

이러한 자유에 대한 제한이 실제로 적용될 때는, 보통 소수가 다수에 양보하고 다수의 의견에 따라가는 것으로 나타나게 되지요.

자유

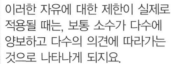

그러나 이러한 원리에는 사실 문제가 있어요. 이에 루소는 다음과 같이 말했습니다.

소수의 의견이 무시되면 자유의 의미도 없게 됩니다.

루소

그뿐만 아니라, 다수의 사람들이 찬성하기만 해도 법조차 무시하고 마음대로 할 수가 있지요.

우리가 옳아!

아, 알았어.

잘 생각해보면 이러한 다수의 원리는 잘못된 전제 조건이 들어 있어요.

뭐야, 다수결이 법보다 위에 있잖아.

국민만이 언제나 현명하고, 정확한 판단을 할 수 있다는 생각이 들어 있는 것이죠.

우리가 모두 동의한 의견이니까 현명하고 정확한 거라 할 수 있지.

그런데 과연 그렇다고 말할 수 있을까요?

무엇이 국가를 좌우하는가에 대한 문제의 해답은 높은 수준의 깨달음에서 나오는 것이지, 국민들이 결정할 일은 아니라고 봐요.

그, 그래?

높은 수준의 깨달음?

국가에서 일어나는 일이나 국가에 관한 일에 대해서 모든 개인의 승낙이 있어야 한다면,

이거 허구한 날 투표야.

귀찮아.

투표소

그것은 국가에 헌법이 없다는 것이 될 거예요.

먼저 헌법에 대해 알고 갈까요?

우선 국가는 두 가지 얼굴을 가지고 있어요.

우선 하나는 보이지 않는 얼굴로 그 자체로는 볼 수 없는 추상적인 것이랍니다.

그래서 우리는 국가를 나무처럼 직접 보거나 만질 수 없어요.

국가는 어디 있는 거야?

하지만 국가는 실제 있는 것이기 때문에 사람들의 활동과 생각을 통해 국가의 실질적인 모습을 볼 수 있답니다.

그래서 정부와 관청들이 필요하고, 이들에게 국가에 필요한 일을 보게 하는 것이죠.

이런 일을 하기 위해 정부와 관청은 해야 할 일을 정하고 때로는 사람들에게 명령을 내리기도 합니다.

국민들은 정부의 일에 적극 동참하시기 바랍니다.

국가가 있게 된 것은 국민들의 뜻이었지만, 그 국가가 국민에게 명령을 내린다는 것은 생각하면 좀 기분 나쁜데요?

맞아요. 국가는 자유를 실현하기 위한 것이고, 자유가 실현된 모습이라고 하더니, 국가가 국민에게 명령하다니… 모순이잖아요?

음, 맞는 말입니다.

명령과 복종, 이것은 분명히 자유와는 모순되는 것으로 볼 수 있지요.

명령과 복종

자유

하지만 잠시 생각해보면 왜 이렇게 명령하는 사람이 있어야 하는지,

또 어떤 상황에서 그런 사람이 필요한지 금방 알 수 있을 것입니다.

앞에서 말한 것처럼 국가는 직접적인 형태로 우리 앞에 나타날 수는 없지요.

국가는 추상적이니까요.

하지만 어떻게든 국가는 국민의 생활에서 직접적인 역할을 해야 하는데,

나의 활약을 보여줘야 하는데!

국가

이 일을 잘하려면 국민이 원하는 국가가 어떠한 것이라는 것을 먼저 정해야 하지요.

그것이 바로 헌법이라고 하는 것입니다.

국가는 헌법이 있어야 비로소 국가다운 국가로서 생명력을 갖게 되고, 국가가 자신의 모습을 확실하게 보여줌으로써 국가는 국민들이 매일 살아가는 현실이 되는 것입니다.

이렇게 국가가 국민들을 대신해 헌법에 따라 직접적인 일을 하고 책임을 지게 되면서

국민들이 일일이 모든 일을 결정할 수 없으니까요.

국가를 대신하고 법을 대신해 명령을 내릴 사람이 필요하게 된 것이죠.

저를 대통령으로 뽑아주신다면 이 몸 뼈가 으스러지도록 바쳐….

대선후보

왜냐하면 국가와 헌법은 국민에게 직접 말을 할 수 없으니까요.

이봐! 안녕?

….

국가

하지만 어쩔 수 없는 경우가 아니라면 명령하고 복종하는 일은 피하는 것이 좋습니다.

세계적으로 신종플루가 유행입니다.

뭐라고?

어쩔 수 없이 명령하고 복종해야 한다면,

국민들에게 당분간 해외여행을 금지 시키도록 하시오!

네!

먼저 그 일이 왜 그렇게 되어야 하는지, 또는 명령하고 복종할 만한 것인지, 국민들이 알고 결정하도록 해야 한다는 것입니다.

우선 신종플루가 얼마나 위험한지 국민에게 알려주게!

따라서 무조건 명령하고 복종해야 한다고 말하는 것이 절대로 아니지요.

헌법의 핵심은 국가 형태에 관한 것인데, 어떤 것이 가장 좋을지를 (예를 들면 군주제, 귀족정치제, 민주정치제 가운데 어떤 것이 가장 바람직한 것인지) 결정하기는 어려운 일인 것 같습니다.

많은 사람들이 공화국을 세우는 것이 좋다고 생각하지만,

공화국이란 국민이 주권을 가지고 대통령을 투표로 뽑는 나라를 말해.

나는 오늘날과 같은 상황이나 국민의 도덕 수준을 생각하면 오히려 군주정치를 하는 것이 가장 낫다고 생각합니다.

국민은 아직 충분히 성장하지 않았어.

이러한 나의 생각에 대해 많은 비판을 하죠.

시대에 뒤떨어진 생각이야! 지금이 어떤 시대인데 말이야!

윽!

아무튼 국가가 정치제도를 결정하는 데 가장 중요한 것은 어떤 제도가 가장 이성적인 것인가 하는 점입니다.

가장 이성적인 정치제도란 무엇일까?

이성적인 제도란 국가 운영에 필요한 여러 가지 권력이 서로 구별되어 각각 독립적으로 움직이고, 자유로운 형태로 운영되면서 하나로 통일된 공동의 목적을 위해 서로 협력해야 한다는 것입니다.

즉 국가는 하나의 유기체로서 활동해야 해요.

이런 뜻에서 국가는 이성적이고 객관적인 자유가 되는 것입니다.

이것은 전체가 함께 발전하되, 각각 자유롭게 활동하는 자유입니다.

따라서 자유의 가장 중요한 의미는 주관적인 뜻에 따라 움직이는 것이 아니고, 이성적인 의지라는 것입니다.

자유는 이성적인 의지에 따라 움직인다는 거지.

이러한 이성적인 의지를 보편적인 의지라고 한다는 것을 기억해 두기 바랍니다.

저벅

지금까지 본 것처럼 국가는 국민 생활의 기초가 되고 또 중심이랍니다.

국가

우리의 모든 활동은 국가 안에서 이루어지죠.

예를 들면 법률, 예술, 풍습, 학문 그리고 종교 등이 있어요.

그중에서 나는 종교를 가장 최고의 것으로 생각합니다.

왜냐하면 종교는 사람들이 절대정신을 찾으면서 자신의 개인적인 욕망과 감정, 의지를 단념하고, 자신의 희생을 기꺼이 하도록 하니까요.

금욕, 금욕!

종교에 대한 것 중에서 가장 중요한 내용은 '신을 어떻게 생각해야 할까?' 하는 것입니다.

여기엔 두 가지 방법이 있어요.

하나는 신을 하늘에 있는 추상적인 절대자로 보기 때문에 인간의 현실과는 멀리 떨어진 우주의 지배자로 보는 것이죠.

다른 하나는 신이 인간의 모습으로 나타난다는 생각을 가진 것으로,

오옷, 눈부셔.

신의 표정이 아마 저럴 거야.

신 안에서 모든 사람이 긍정적인 대우를 받는다고 여기는 것입니다.

형제님, 잘 지내셨어요?

네, 목사님도 잘 지내셨죠?

그래서 신은 통일하고 화해하도록 하는 모습이죠.

그리고 신에 대해 어떤 생각을 갖고 있는가? 하는 것은 민족의 기반을 이루는 중요한 것이랍니다.

이렇게 보면 종교는 국가의 원리와 매우 비슷하다는 생각이 들지 않나요?

하지만 이 세상의 모든 것은, 심지어 국가도 상대적인 것에 지나지 않지요.

째각

왜냐하면 국가도, 사람들의 관심이나 의지도 시간이나 조건에 따라 변하니까요.

그러므로 국가는 정당한 자격을 본래 가졌다고 할 수 없어요.

투둑

국가

이럴 수가… 나한테 자격이 없다니….

그러나 정말 정당한 존재가 정당성을 인정하면 세상의 것도 정당한 것이 될 수 있겠지요.

정말요?

국가

내 말은 곧 진리이기 때문이야.

그렇다면 세상의 일들이 어떻게 해서 정당성을 인정받을 수 있을까요?

신이 함께하며 신에 의한 것이라고 알려지면 됩니다.

그래서 국가는 종교에 근거를 둔다는 말을 자주 듣게 되는 것이죠.

이해가 잘 안 돼요.

알고 보면 이 말은 바로 이런 뜻을 가진 것입니다.

군주와 법에 대한 복종심은 흔히 신에 대한 두려움에 결부하기 때문에, 신앙심이 좋은 사람일수록

더욱더 열심히 국가에 대한 자기의 의무를 다한다는 것입니다.

열심히 일해서 세금을 잘 내야지.

이렇게 보면 국가는 그 뿌리를 종교에 두고 있고, 종교로부터 탄생한 것이라고 할 수 있지요.

국가
종교

또한 국가의 원리는 그 자체로서 올바르고, 정당한 것이라 생각해야만 하는데,

이것은 신의 본성과 같습니다.

이런 뜻에서 종교의 특징은 국가와 헌법의 특징이 될 수밖에 없답니다.

종교의 특징과 국가나 헌법의 특징이 같다는 얘기야.

그래서 나는 다시 한 번 더 '국가는 종교에서 생겼다.'고 강조하고 싶습니다.

이러한 예로 가톨릭 국가와 프로테스탄트 국가가 다른 정신과 헌법을 가졌던 것을 들 수 있답니다.

프로테스탄트는 개신교를 말해요. 대표적인 나라는 프로이센입니다.

오~

정신이 무엇인지 마지막으로 한 번 더 정리해야겠군요.

정신은 이성이고, 이성은 자유라고 생각할 수 있어요.

정신 이성 자유

여기서 정신은 우리가 생각하는 개인의 생각이 아닌 우주의 섭리와 같은 뜻입니다.

이러한 정신이 실현된 형태가 국가라는 것입니다.

세계 역사의 실행과 개념

역사는 반복하지 않는다!

지금부터 세계 역사의 발전 과정과 그 원리를 생각해 보려고 합니다.

먼저 변화에 대해 알아볼까요?

네~

역사는 변해요. '변화한다.'는 것은 달라진다는 것을 말합니다.

옛날과 지금이 다르고, 미래도 달라진다는 의미가 되겠지요.

그런데 이러한 역사의 변화라는 것이 좋은 쪽으로 변하는 것일까요? 아니면 더 나쁜 쪽으로 변하는 것일까요?

음….

당연히 더 좋은 쪽으로 변하는 것이죠.

왜 그렇게 생각하는 거지요?

시간이 갈수록 살기 편해지고, 또 점점 더 문명이 발달해서요.

아주 논리적이군요! 나 역시 그렇게 생각합니다.

역사는 변화를 통해 더 발전하면서 점점 더 좋고 완전한 역사로 진행된 다고 생각하니까요.

그런데 역사만 변하는 것은 아닙니다. 자연계에서도 변화는 계속 일어나니까요.

어떤 차이요?

그러나 역사의 변화와 자연계의 변화는 아주 중요한 차이가 있답니다.

자연계의 변화는 우리 눈에 다양하게 보이지만 사실은 반복되는 변화입니다.

즉 순환의 되풀이라는 것이죠. 예를 들면 태양의 반복되는 변화를 볼 수 있어요.

아, 오늘도 학교 가야 하네!

그래서 자연계의 변화를 두고 '태양 아래 새것은 없다.'고 말하기도 한답니다.

내 아래 새것이 없구나. 후후후!

이와는 달리 정신이 주인공인 역사의 변화는 예측할 수 없어요.

왜요?

언제나 새로운 것을 추구하고 더 나은 것을 목적으로 변화하기 때문이에요.

더 나은 역사를 위하여!

웃샤, 웃샤!

역사

역사의 변화는 완전함에 대한 욕망에 의해 일어나는 것으로, 인간의 특징을 보여주고 있어요.

맞아요. 저도 완벽하게 축구공을 다루고 싶어요.

역사의 변화에서 우리가 알아야 하는 것은 '실제로 변화할 수 있는 능력', 그 자체이지요.

변화 자체가 원리가 되는 것입니다.

역사는 이러한 변화를 통해 발전하게 되는데 그 원리에 대해 알아봅시다.

넵!

발전의 개념 속에는 어떤 것의 안에 숨어 있던 것이 밖으로 표출되거나, 현실적인 것이 된다는 뜻이 담겨 있어요.

예를 들면 여러분들이 이번 방학에는 꼭 기차여행을 해야겠다고 생각하면서 계획만 세우다,

뭐해?

매번 계획만 세우네.

기차여행 가려고?

실제로 기차여행을 하게 됐을 때 발전이라고 할 수 있지요.

빠앙

와아~! 이번엔 성공이야.

또는 봉사활동을 숙제 때문이 아닌 스스로 생각해서 실천에 옮겼을 때도 발전하는 것이죠.

깨끗이 씻어야지!

이런 발전을 통해 정신은 자신을 현실적인 것으로 나타내 보입니다. 정신은 이러한 방법으로 세계사를 '자기의 무대, 자기의 재산, 자기 실현의 장소'로 만들어요.

오, 줄리엣! 그대는 어째서 줄리엣인가요?

정신

그래서 정신을 세계사의 지배자라고 말하는 것이고요.

세계사는 나의 지배를 받고 있어.

이성

자유가 실현된 모습과 세계 역사

하지만 이러한 정신의 발전이 우연히 일어나는 것은 절대 아닙니다.

오히려 우연인척 하면서 정해진 길을 가지요.

아주 작은 씨앗이

점점 자라서 뚜렷해지고 단단해지며, 주변의 다른 것들과 관계를 맺으면서 성장하듯 역사도 발전한다는 것을 말한답니다.

안녕?

너 많이 컸구나!

정신이라는 친구는 요구하는 것도 많고, 또 엄청나게 강하고 풍부할 뿐만 아니라 자존심도 무척 세답니다.

내가 한 자존심 하지!

그래서 정신은 자기가 변화하기를 강하게 바라면서도

좀 더 나은 내가 되기 위해서는 변화해야 해!

다른 한편으로는 자신이 변화하는 것을 쉽게 받아들이려 하지 않아요.

내가 왜 이런 변화를 받아들여야 해?

휙

계획표

따라서 자기가 자기 스스로에게 대립하고 자기 자신과 싸우게 되는 것이죠.

슉슉!

정신은 더 나은 모습으로 성장하기 위해 이런 과정을 겪어야만 해요.

헉, 헉! 힘들다.

이렇게 자기 자신과의 싸움을 하며 자신 스스로를 소외시키는 이유는 자유를 실현하기 위해서랍니다.

자유를 실현시키려면 이 정도 각오는 해야지.

세계사는 이러한 자유가 발전하는 단계를 보여주는 것이고, 이러한 발전의 원리는 대립과 투쟁이죠.

슉슉!

정신은 무한한 가능성으로 있기 때문에 항상 불완전한 것에서

헉헉헉! 이놈의 저질 체력!

좀 더 나은 것, 그리고 완전한 것으로 발전하는 모습을 갖게 되는데,

후~

후~

탁 탁 탁

여기서도 역시 중요한 것은 발전, 즉 진보한다는 것이라고 말할 수 있어요.

훅훅!

슉!

하지만 여기서 불완전한 것이라고 해서 쓸모없는 것을 뜻하는 것이 아니고 성장해서 완전한 것으로 바뀔 수 있다는 것을 의미하죠.

불완전한 것이라고 해서 성장할 가능성이 없다고 생각해선 안 돼!

이런 뜻으로 불완전과 완전을 이해하는 것이 올바른 이해입니다.

그렇다면 역사는 언제, 어떻게 시작했을까요?

글쎄요….

이 문제에 대해 말하려면, 먼저 자유와 법이 어떤 방식으로 있었는지 생각해봐야 해요.

자유 법전

역사는 합리적인 상태, 즉 이성적인 생각, 의지, 행동 같은 것이 없는 상태에서는 시작할 수가 없어요.

왜냐하면 정신이 아직 미성숙해서 자유가 무엇인지, 판단 능력도 없고

자유가 뭐야? 쭙~ 빨아먹는 건가? 쭙쭙!

따라서 법에 대한 아무런 생각도 없는 어린아이와 같은 상태에서는

멍~

역사를 이끌어 가는 주인이 될 수 없으니까요.

이건 웬 돌덩어리야?

역사

사람들이 함께 모여 사는 생활을 했다고 해서

처음부터 서로가 존중하며 법에 대한 개념을 가졌던 것은 아닙니다.

이봐, 헌법에 명시된 국민의 주권에 대해 어떻게 생각하나?

헌법? 갑자기 무슨 헛소리야?

가장 자연스러운 인간관계인 가족관계는 인류을 바탕으로 하는 공동체이지만,

가족들이 서로에 대한 인격을 완전하게 인정하는 사이는 아니죠.

아기야, 너를 인격적으로 대하고 싶구나. 혼자 공부하고 있어라.

….

바로 이러한 점 때문에 가족은 역사의 발전에서 중요하게 취급되지 않아요.

애 좀 봐주라니까 뭐하는 거예요?

아얏!

역사는 정신이 가족적인 사랑과 감정을 이겨내고 개인의 인격성에 대한 것을 알면서부터 시작하는 것이랍니다.

정에 이끌려서 공과 사를 구분 못하면 안 되거든.

왜냐하면 인격에 대한 것을 알게 된다는 말은 사람을 독립적인 개인으로 존중한다는 뜻이 들어 있어서 그 사람의 자유로운 판단과 생각을 인정한다는 뜻이니까요.

아기를 인격적으로 대한다고요? 그렇담 아기의 판단과 행동도 인정한다는 거예요?

으악, 인정 못해!

탁 탁 탁

이것은 그만큼 정신이 성숙함을 나타내는 증거죠.

내가 보기보단 성숙하다고~

물론 정신이 처음부터 이렇게 성숙할 수는 없어요.

윽!

엄청난 노력과 긴 시간의 훈련을 거친 후에, 마침내 진짜 정신다운 '정신'이 되어서

이 세상에 공짜는 없어!

다 다

신이나 진리와 같은 것을 알만큼 성장하면, 자유가 무엇인지를 알게 되지요.

성장한 만큼 아는 거지!

내가 말하는 자유는 법을 알고 법을 만들려는 의욕을 가지고 여기에 알맞은 국가를 이룩하는 것입니다.

국가가 없는 민족은 국가를 세운다는 목표를 가지고 오랫동안 노력했더라도

티벳 독립!

독립을 인정하라!

역사에 속할 수가 없어요.

이러한 것은 다시 말하면 '역사 이전'의 이야기죠.

그래서 아무리 긴 역사를 자랑할 수 있는 민족이 있다고 하더라도 그것을 '역사'로 인정할 수는 없다는 것이죠.

와아아!

제길! 우리 민족 역사가 얼마나 긴데….

그래서 역사는 단순히 어떤 일의 추억거리와는 아주 다른 것이에요.

아, 그때 그 바닷가에 만났던 소년은 잘 있을까?

뭐야? 그게 누구야?

또한 부족이나 가족에서 전승돼 내려오는 것이라도 역사라고 말할 수는 없습니다.

가족에서 내려오는 건 가족사일 뿐이니까요.

그래요.

역사는 역사적인 사건이라고 할 만한 것이 있어야 하는데,

이런 일은 국가적인 차원에서만 일어나기 때문에 역사와 국가는 운명을 함께하는 운명공동체라는 것을 알아야 해요.

우린 운명공동체야.

역사   국가

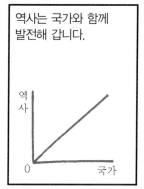

역사는 국가와 함께 발전해 갑니다.

역사

0   국가

공동체가 점점 커져 국가로 발전하면서 서로의 이익과 질서를 위해 법, 통치제도, 규정 등이 만들어지고

법안이 통과되었음을 발표합니다.

탕탕

이러한 상태를 유지하기 위해 여러 가지 행동과 사건을 기록으로 남기게 되지요.

타 탁

이렇게 국가는 역사를 가짐으로써 현재의 불완전한 것을 과거를 통해 보완합니다.

음, 이런 부분은 고쳐야겠어.

국가

국사

국가는 법을 반드시 가져야 하고,

요새 법 공부는 기본 아냐?

법전

국가

법률이 있다는 것은 자기가 하는 일과 행동의 의미를 생각하면서 행동하는 능력을 말해주지요.

술 마시고 운전하면 법에 걸리지? 대리운전을 불러야겠다.

그리고 이렇게 자기의 행동을 뒤돌아보는 능력이 있어야

오늘 내가 무슨 일을 했더라?

행동을 기록하고 보존해야겠다는 생각이 들고 이러한 기록이 중요하다는 것을 알 수 있으니까요.

뭐해?

일기 써! 중요한 일이니까 말 시키지 마!

즉 국가를 통해 역사의식을 갖고 역사를 만들어 갈 수 있다는 뜻입니다.

예를 들자면 인도에는 그렇게 오래된 문화와 빛나는 종교경전이 있음에도 불구하고,

역사를 자랑하는 중국과는 달리 인도에 긴 역사가 있다고 하지는 않는답니다.

우리보다 역사가 짧다해.

윽, 우리도 역사가 많다카레!

이렇게 보는 이유 중의 하나는 인도가 법과 인륜에 기초를 두지 않고,

사람은 평등하지 않아!

오히려 카스트와 같은 문화에 의존했기 때문이지요.

카스트제도는 사람을 4계급으로 나누는 제도야.

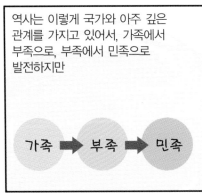

역사는 이렇게 국가와 아주 깊은 관계를 가지고 있어서, 가족에서 부족으로, 부족에서 민족으로 발전하지만

가족 ➡ 부족 ➡ 민족

뛰어난 언어를 사용했다 하더라도 역사를 가진 민족으로 발전하지 못하는 경우도 많이 있어요.

중국의 소수민족들은 각자의 언어가 있지만 국가로 발전하지 못했지.

역사발전이 진행되는 방식

세계사는 자유에 대한 생각을 실천해 나가는 과정입니다.

이 말은 세계사는 점점 발전하는 것이라는 의미이기도 하죠. 이러한 발전은 변증법적인 단계를 거쳐 이루어집니다.

여기서 변증법은 나의 모든 철학에서 가장 중요한 개념이랍니다.

변증법? 또 나왔네?

변증법을 아직도 잘 모르겠어요.

흔히 변증법을 '정(正) – 반(反) – 합(合)' 이라는 공식으로 설명하는데

변증법의 공식이야.

으악, 공식이란 말만 들어도 머리 아파!

정(正)-반(反)-합(合)

'정'은 현재 있는 그대로의 상태입니다.

학생이면 학생, 직장인이면 직장인 바로 그 상태 자체죠.

그러나 정신과 의지는 있는 그대로의 상태에 만족하지 않고, 더 나은 것을 원하고 변화하려 합니다.

뭔가 더 나은 내가 되고 싶어!

그래서 현재의 상태에 도전장을 내죠.

이봐, 도전이야!

정신이 정신에게 더 나은 상태를 위해 도전하는 것이죠.

이것이 '반'의 의미입니다.

그래서 정신은 자기 자신에게 대립하며, 받아들일 것은 받아들이고 보존할 것은 보존하면서

음, 내 이런 우유부단함은 떨쳐버리되 신중한 점은 유지하자.

마지막 단계인 '합'의 상태로 갑니다.

이 과정을 변증법이라고 하는 것입니다.

아직 잘 모르겠어요.

사과나무를 예로 들면, 처음에는 아주 작은 싹이 있겠죠?

하지만 이 어린 싹은 점점 크게 변하면서, 작았던 나무는 가지가 뻗어 가며 큰 나무로 변하지요.

그리고 꽃은 열매를 맺기 위해 나무에서 떨어져 나가고

맛있는 사과가 열리게 됩니다.

처음의 작은 잎들만 보았을 때는 누가 커다란 사과가 탐스럽게 열릴 것이라고 상상이나 할 수 있겠어요?

믿을 수 없네.

투둑

이렇게 본래의 것이 새로운 도전을 받고 다른 모습으로 변하면서
발전하는 것을 변증법적 발전이라고 한답니다.

이제 변증법을 조금 알 것 같아요.

저도요.

하지만 변증법에서 중요한 것이 있어요!

그것은 처음 상태에 정해진 것에서 마음대로 벗어날 수 없다는 것이죠.

?

예를 들면 사과나무에서 장미꽃이 피는 일은 없다는 것입니다.

윽, 사과나무 맞아?

왜냐하면 사과나무는 처음부터 사과나무의 성질을 가지고 있고 그것을 계속 유지하기 때문에 다른 나무가 될 수 없는 것이지요.

역사는 이러한 변증법적인 단계의 충돌이나 갈등에 의해 더 풍부하고 더 좋은 상태로 발전하게 됩니다.

투투투

투투투

그래서 어떤 상황에서 역사를 보면 도대체 발전한다는 것이 의심스러워 보이기도 합니다.

정말 인류의 도덕과 문화는 더 나아지고 있는 걸까?

쾅

오히려 더 나빠지고 퇴보한다는 생각이 들 경우도 많지요.

살려줘요!

탕

탕

그러나 세계사는 높은 차원에서 절대적인 목적을 실천하기 때문에 일반적인 사람들의 판단으로는 알 수 없답니다.

탕

탕

탕

살려주세요.

세계사에 나타나는 각각의 민족성은 다 다를 수도 있고 민족의 문화와 종교, 관습, 도덕성이나 예술까지도 차이가 있을 수 있지요.

이러한 민족성은 민족을 알 수 있는 구체적인 정신입니다.

우리는 무사도 정신을 중요시하지.

전쟁을 좋아하는 폭력성이 강한 민족이야.

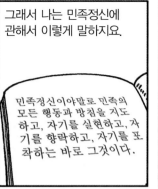

그래서 나는 민족정신에 관해서 이렇게 말하지요.

민족정신이야말로 민족의 모든 행동과 방침을 지도하고, 자기를 실현하고, 자기를 향락하고, 자기를 포착하는 바로 그것이다.

그리고 정신이 하는 가장 중요한 일은 자기 자신을 아는 일이죠.

어디, 나는 어떤 존재일까?

자기가 무엇을 하는지, 무슨 생각을 하는지, 즉 자기의 사상까지도 아는 것이죠.

소크라테스도 자기 자신을 아는 것이 최고의 지식이라고 했어.

정신이 자신에 대해 모든 것을 확실하게 안다는 것은, 이 정신은 이제 완성이 되어 더 이상 할 일이 없다는 뜻이 된답니다.

나에 대해 다 알아서 더 이상 할 일이 없으니 심심해.

변증법에서 마지막 단계인 '합'에 도달하면 이제 다른 것에 자리를 내주어야 합니다.

이렇게 해서 세계사의 주인공들이 때가 되면 달라지는 것입니다.

이제 내 시대야~!

이 말은 세계를 이끌어 가는 정신이 한 민족에 의해서 독점될 수 없다는 것을 뜻하기도 합니다.

누구도 날 소유할 수 없어!

그러면 이제 세계사의 개념을 알아볼까요?

세계사

나는 세계사를 '일정한 시기 안에서 정신이 자기의 모습을 드러내는 것'이라고 봅니다.

이제 내 차례인가?

그래서 시기마다 주인이 되는 정신은 달라질 수 있어요.

아냐, 내 차례야!

아냐, 내 차례라고!

그런데 세계사라는 것을 막상 들여다보면

세계사

민족, 국가, 개인에 의한 여러 가지 그림들이 진열되어 있다는 생각이 들 것입니다.

이러한 것들은 우리 마음에 많은 것을 호소하고 또 큰 관심을 끌기에도 충분하죠.

우와, 이거 봐봐!

응, 대단한데.

세계사에는 큰일이든 작은 일이든 사람들의 노력과 고통 그리고 고민이 나타나 있고,

그것에 관심을 갖게 되는 것은 그러한 것들이 곧 우리 자신의 일이기도 하기 때문입니다.

이 그림 좀 봐봐!

어느 때는 심지어 옳지 않은 일까지도 뜻 깊은 일로 보이기도 할 정도이지요.

음! 뜻 깊은 사형식이야.

뭐야?

이런 장면들은 한 장면이 사라지면 또 새로운 것이 나타나 끝없이 이어지죠.

자, 사라져. 이제 내 차례야.

이렇게 끝없이 변화하는 역사 앞에서, 우리가 역사에 대해 확실하게 말할 수 있는 것은

역사는 변화하는 것, 변화 그 자체이지요.

특히 한때는 세계를 지배하던 민족이 흔적도 없이 사라지고 폐허만 남아 있는 것을 보면서 우리는 변화를 실감나게 느낄 수 있지요.

이러한 멸망은 새로운 시작을 만들어 내고

이러한 순환을 윤회나 불사조 '피닉스'에 비유해 말할 수도 있겠지요.

피닉스라는 새는 생명이 다한 것을 알면 불더미에 스스로 자신을 태워 죽는데,

이 죽음은 죽기 위해서가 아니라, 다시 새로운 생명으로 되살아나기 위한 것이라고 말합니다.

왜냐하면 죽음을 통해서 새로운 생명을 얻을 수 있으니까요.

하지만 불사조와 달리 정신은

이야압!

단지 본래의 상태로 되살아나는 것에 그치는 것이 아니라

크아아악!

변화하면서 점점 높은 단계로 발전해서 그 이전의 모습보다 더 순수한 정신으로 다시 태어나는 것이죠.

업그레이드 돼서 다시 태어났어.

바로 이 점이 윤회나 불사조와 가장 결정적인 차이입니다.

안녕?

?

정신도 성숙할 만큼 성숙한 다음에는 노쇠하고 쇠퇴한 다음,

아이고, 허리야.

다시 탄생할 때는 더 풍부하고, 더 발전한 상태의 정신으로 되살아난다는 의미랍니다.

나는 피닉스처럼 단순하게 다시 젊어지는 것이 아니죠.

정신은 볼 수도, 만질 수도 없지만 자기가 할 수 있는 것을 실제 행동으로 옮겨서 자기를 완성하지요.

민족정신도 이 점에서는 같아요.

민족정신 또한 사람들의 행동이나 종교, 관습, 헌법, 제도 등을 보면 알 수 있지요.

개인은 자기보다 앞선 민족에 자신을 동화시키고, 그러면서 동시에 민족에 맞는 윤리를 지키고 도덕심을 키우면서 민족정신이 계속되도록 하는 역할을 한답니다.

우리는 홍익인간의 정신으로 서로 돕고 살아야 합니다!

그러니까 처음 민족정신은 개인이 성장하는 기준이 되지만,

홍익인간의 정신이 뭐예요?

남을 이롭게 한다는 말이야. 아들도 그런 사람이 되어야 해.

네!

또한 개인은 이러한 민족정신을 만들어 내는 역할도 하는 것이죠.

모두가 홍익인간의 정신으로 살면 정말 살기 좋은 나라가 될 거예요.

사람들이 때가 되면 죽음을 피할 수 없듯, 민족도 때가 되면 자신의 역할에서 물러나 일종의 '자연적인 죽음'을 맞이하게 되지요.

내 죽음을 알리지 마라. 크윽~

그리고 새로운 민족이 강력한 정신으로 무대의 중심에 나타나 역사의 주인공 자리를 차지합니다.

자, 이제 내 차례야!

이렇게 한 민족의 역할이 끝나면, 그 민족은 무대에서 사라지고, 새로운 정신을 내세우는 다른 민족이 등장하게 되면서 역사는 발전해나갑니다.

이번엔 나 칭기즈칸의 차례야!

따라서 민족정신은 정신적이고 보편적인 생명이라고 하는 것이 맞지요.

이러한 정신은 행동을 하게 하는 것이지만 잘 생각해보면 활동을 하고 나서 얻은 열매이기도 해요.

정신

아주 재미있는 현상이지요? 그 점에서 정신을 씨앗에 비교할 수도 있어요.

나를 씨앗에 비교하다니….

씨앗에서 식물이 나와 자라지만, 씨앗은 식물이 일생 동안 만들어 낸 최후의 작품이기도 하잖아요?

음, 그런 의미가?

정신도 이와 마찬가지입니다.

정신도 끊임없이 변화하고 발전하면서 새로운 생명을 만들어 내고 또 새로운 열매를 맺고 자신은 사라지죠.

나를 잊지 마!

그런데 이 정신이 사라졌다고 해서 완전하게 없어진 것은 아니죠?

고인의 명복을 빕니다.

이봐, 난 죽어 없어진 것이 아니라고!

나무의 열매가 해마다 똑같은 것은 아니지만, 그 본성은 같은 것처럼 정신도 가장 기본이 되는 성질은 그대로 남아 계속되지요.

사과 나무에 사과가 열리는 것 처럼 말이죠.

때가 되면 누구나 죽게 되는 것을 잘 알지만, 그렇다고 성장해서 어른이 되는 것을 거부할 수 없는 것처럼

자연의 섭리는 누구도 거스를 수가 없지.

이런 섭리로 생명은 이어지고, 새로운 정신이 탄생하고, 새로운 원리도 만들어진답니다.

결국 가장 중요한 것은 눈에 보이는 여러 가지의 역사적 사건들이 아니라,

이 사건들을 통해 나타난 정신의 이념을 아는 것입니다.

아무리 위대한 것이라 할지라도 과거에 속하는 것보다는 현재의 것으로 남아 있는 게 더 중요하죠.

그리고 정신은 언제나 현재형으로 자신을 나타내죠.

정신은 과거와 미래를 자신의 현재의 모습에 포함하고 있다는 것을 말합니다.

현재의 나는 미래의 모습도 가지고 있다고~

과거 미래

그리고 철학은 영원한 진리를 알고 싶어하는 것이기 때문에 영원하게 현재로 남는 것,

즉 죽지 않는 것, 사라지지 않는 것을 찾지요.

이것이 곧 정신입니다.

그래서 철학은 정신에 관한 것이며 역사철학 또한 역사의 지배자인 정신의 이념을 다루는 것입니다.

역사의 지배자, 정신을 다룬 책이야.

역사철학

세계 역사의
주인공들

오늘은 역사의 현장으로 여러분과
함께 여행을 떠날 것입니다.

이제, 역사철학의
마지막 시간이군요.

엑, 벌써요?

역사의 주인공들을 만나보고,
그들의 특징과 차이는 무엇인지
비교하면서 살펴볼 것입니다.

자, 그럼
시작해 볼까요?

첫 출발지는
고대 동양입니다.

세계 역사의 탄생과
역사의 유년기 : 고대 동양

참다운 세계사의
시작은 동양에서
비롯했죠.

이러한 나의 생각을 《역사철학 강의》에서
이렇게 썼어요.

세계사에 있어서 아시아의 위치는 일반적으로
일출(日出)의 세계라는 것이다. 물론 아시아는
아메리카에서 본다면 서쪽에 위치한다. 그러나 유럽이
일반적으로 구세계의 중심이고 종국이며, 그러한 의미에
있어서 절대적으로 서쪽이라는 점에서, 그러한 의미에서 보면 아시아는
절대적으로 동쪽이다. 따라서 정신의 광명과
세계사는 아시아에서 시작하였다.

한 구절을 더 소개할까요?

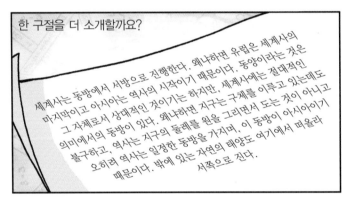
세계사는 동방에서 서방으로 진행한다. 왜냐하면 유럽은 세계사의
마지막이고 아시아는 역사의 시작이기 때문이다. 동양이라는 것은
그 자체로서 상대적인 것이기는 하지만, 세계사에는 절대적인데도
의미에서의 동방이 있다. 왜냐하면 지구는 구체를 이루고 있는데도
불구하고, 역사는 지구를 원을 그리면서 도는 것이 아니고
오히려 역사는 일정한 동방을 가지며, 이 동방이 아시아이기
때문이다. 밖에 있는 자연의 태양도 여기에서 떠올라
서쪽으로 진다.

이 말은 동양이다, 서양이다 하는 식의
구별을 지리적인 뜻으로 사용한다면,

동쪽에 있으니까
여기는 동양!

여기는 서쪽에
있으니까 서양!

그것은 동과 서의 구분이 어느
쪽에서 보느냐에 따라 달라지기
때문에 상대적인 개념이지만,

미국에서 보면
중국이 서쪽에 위치해.

역사적인 개념으로 사용할 때는
보는 방향과 상관없이 동양은
고정된 의미를 갖게 된다는
뜻입니다.

역사의
관점에서 보면
동양은
절대적인 의미를
가져요.

이러한 동양의 문명을 자랑하는
나라들로는 고대 인도와 중국,
바빌로니아를 꼽을 수 있습니다.

그렇다면 동양세계를 역사의 주인공으로 만든 것은 무엇일까요? 고대 동양세계를 이끌어 간 정신은 어떤 것이었을까요?

내가 가장 중요하게 생각하는 기준은 자유입니다.

알고 있지요?

네!

한 국가에 자유가 얼마나 실현되었는지로 국가의 발전에 대한 판단을 하는 것이죠.

음, 아주 자유롭군! 아주 발전된 국가야.

역사를 사람에 비유하자면 역사는 동양에서 탄생해 어린 시절을 보내는데,

얍!

얍!

이 말은 세계의 역사가 아직 그만큼 어린 상태라고 하는 뜻도 됩니다.

동양에서 비로소 역사다운 역사가 생겼다는 의미는 크지만, 자유에 대한 정신은 아직 미숙한 상태에 머물러 있다고 보아야 할 것입니다.

자유? 그게 뭔데요?

동양세계에서 기본이 되는 정신은 믿음 또는 신앙, 신뢰, 복종입니다.

왕명이다! 성을 짓는 일에 참여하라!

!

이러한 개념들이 무조건 이성과 자유에는 반대되는 것이라고 말할 수는 없지만, 분명한 것은 아직 자유로운 주체성을 가진 단계는 아니라는 것입니다.

왕의 명령은 곧 신의 명령이니 복종해야 해.

그럼! 맞는 말이야!

그래서 어린아이와 같은, 즉 역사의 유년기에 비유된답니다.

동양세계에도 질서와 개별적인 주체적 생각이 있는 것은 확실합니다.

그러나 이러한 주관적인 생각마저도 하나의 중심, 즉 지배자를 중심으로 움직이고 돌아간다는 것이 문제이지요.

세상은 나를 중심으로 돌지.

이 지배자는 모든 개인들의 위에서 군림하며 통치를 하고, 사람들은 이 한 사람의 지배자에게 복종을 하는 관계지요.

어서 화려한 궁전을 지어라!

문제는 이런 세계에서는 오직 한 사람만이 자유를 누리고,

전하, 백성들이 고생을 심하게 합니다. 그들에게 자유를….

?

이러한 권력자 앞에서는 독립적인 생각을 아무도 가질 수 없다는 것입니다.

저놈을 죽여라!

잘못했습니다.

네!

이것에 대한 헌법과 법제도가 없기 때문에 개인의 인격도 권리도 보장받을 수 없었습니다.

억울하옵니다!

우리를 위해서 말하다가 죽게 되었다네.

이럴 수가! 이게 다 법제도가 없기 때문이야.

모든 사람의 목숨과 재산은 한 사람의 지배자, 즉 왕에게 속하고, 왕은 국가 전체를 자기 마음대로 움직이고 결정했습니다.

억울하면 네가 왕 하든가. 으하하하!

그 한 예로 중국에서는 가족관계에 기초를 두고 국가가 운영되는 것을 알 수 있습니다.

가정에는 헌법 같은 것을 둘 필요가 없지요.

왜냐하면 사람들은 국가 최고의 지배자를 마치 한 가족을 사랑과 희생으로 먹여 살리는 아버지와 같이 생각하기 때문이니라.

이런 것을 가부장제도라고 하지요? 이러한 국가에서 전체 질서는 법에 따르기보다 미리 훈계를 하거나 벌을 주어 지키려고 하죠.

또다시 나를 거역하려는 자는 엄벌에 처할 것이다!

네이~

이것은 한 집안의 어른이 아이들에게 잔소리하고 야단 치는 방법으로 집안의 평화를 유지하려는 것과 같습니다.

너 잘못했어? 안했어?

잘못했어요.

말하자면 국가가 하나의 가정에서처럼, 지배자를 아버지로 여기고 백성은 자식처럼 행동하고 순종하는 방식으로 운영된 것이죠.

그럼 내가 아빠인 건가?

음….

따라서 개인의 인격은 무시될 수밖에 없지요.

그런데 이런 상황에 역사의 정신이 오래 멈춰 있게 된다면 발전이라는 것을 할 수가 없겠지요.

발전하기 위해서는 앞으로 변화해야 합니다.

어린아이와 같이 온순하고, 권위를 가진 사람을 쉽게 믿는 마음을 가지는 이러한 동양정신은 시간이 가면서 점차 변해갑니다.

복종만 하는 것은 뭔가 부족해. 변해야 해.

하지만 이와 같은 변화는 같은 나라 안에서 일어나지 않습니다.

역사의 유년기를 벗어난 세계사는 활동하는 장소도 다른 곳으로 옮겨가지요.

내가 활동할 곳은 이곳이 아니야.

이렇게 어린아이 같은 모습에서 자라 청소년기로 들어가게 되는데,

청소년기가 어떤 것인지는 내가 말하지 않아도 여러분이 더 잘 알 것입니다.

질풍노도의 시기지!

요란스럽게 서로 자기가 더 낫다고 외쳐 대면서 무엇보다도 자신이 대단한 사람이라는 인정을 받고 싶어하고

내가 더 많이 마신다고!

웃기지 마, 내가 더 많이 마셔!

그리고 또 무엇보다도 자유를 주장하는 시기 아닌가요?

자유!

자, 그럼 그런 역사의 주인공이 누구인지 볼까요?

청년기의 세계사는 자신의 모습을 그리스에 드러냅니다.

이곳이 그리스군!

조용히 남의 말을 듣고 순진하게 세상을 바라보던 시기를 뒤로 하고,

순진한 어린 시절, 안녕~

더 이상은 복종하지 않는 청년기에 도달한 것입니다.

드디어 개성을 내세우고 자신의 생각을 당당히 주장하는 시기입니다.

이때부터 자유를 점차 알고 중요하게 생각하기 시작합니다. 자신을 중요하게 생각하는, 개인에 대한 의식이 싹트기 시작한 것이죠.

왕도 중요하지만 우리 개인도 중요하다고.

맞아. 언제까지 우리가 이렇게 살아야 해!

그렇지만 동양정신의 기본인 가족적인 윤리를 모두 거부하는 것은 아닙니다.

다만 인류를 지키되, 자신의 개성과 특별함도 포기하지 않겠다는 것이죠.

둘 다 포기 못해!

인류 개성 특별함

그래서 이 시기는 인류적인 것과 자신의 의지가 잘 통일된 모습으로 나타나는 때인데,

이러한 상태를 나는 '아름다운 자유의 나라' 라고 말한답니다.

마치 아름다운 예술품이 정신적인 것과 감성적인 것을 잘 조화시켜 표현된 것과 비슷하다고나 할까요?

마치 익숙하면서도 익숙하지 않은 느낌이랄까~

그래서 그리스의 정신은 '조화' 라고 말할 수 있지요.

조화는 아름다움 그 자체이지만, 쉽게 시들어 오래가지 못하는 꽃과 같지요.

왜냐하면 개성 속에 포함하고 있는 인륜이 아직도 한 단계 더 높은 도덕성으로 성숙하지 못한 채 남아 있기 때문입니다.

이러한 인륜의 성장은 자신에 대한 깊은 반성과 이성적인 생각을 통해 나오는 것이죠.

그리고 그리스인들이 누렸던 자유는 주관적인 의지와 노력에 의해 얻어진 것이 아니었어요.

참된 인륜은 습관이 아닌 자신의 자유로운 선택, 즉 자발적인 결정과 의지에 의한 것이니까요.

잘 알려진 것처럼 그리스에서는 정치가 많이 발달해 많은 도시국가들이 상당히 민주적인 정치를 폈습니다.

그 이유 때문에 사람들은 그리스에서 민주정치가 시작되었다고 말합니다.

하지만 모든 사람들이 다 자유를 누리면서 살 수 있었던 것은 결코 아니랍니다.

우리는 여전히 노예였어.

그리스에서는 분명 민주정치가 다른 어느 곳보다 더 발달했음에도 불구하고,

여전히 소수의 사람들에게만 자유가 허용되었고, 그들만이 실제적인 자유를 누리면서 살 수 있었어요.

그 증거로 노예제도가 그대로 유지되고 있었으니까요.

비록 사람들의 개별적인 특성을 인정하고 자유를 중요하게 여기기 시작했지만,

노예들에게도 이제 개인으로서 자유를 주어야 합니다.

사람들은 관습과 습관에 따라 자신보다는 공동체의 운명을 먼저 생각했습니다.

안 됩니다! 노예를 풀어주면 누가 일합니까?

그리스의 경제가 무너지게 됩니다!

그래서 그리스의 자유는 소수에게만 허락된 자유였죠.

우리는 자유로웠지만….

우리는 여전히 노예였죠.

세계사의 성년기 : 로마

세 번째 주인공은 화려한 역사를 자랑하는 로마제국입니다.

이제 역사는 완전하게 성숙한 어른이 되었습니다.

흠, 흠! 어른이 된다는 것은 생각과 몸이 성숙한다는 뜻입니다.

충동적인 것보다 진지하고 합리적인 것을 선택하는 것은 어른이 되어서 일어나는 가장 큰 변화입니다.

예전의 철없던 내가 아니야.

또한 어른이 되면 자신의 권리를 다른 사람들이 억압하거나 간섭하는 것을 거부하지요.

간섭

억압

역사

아뵤~!

획

그래서 다른 사람이 어떤 것을 명령한다고 해도

이봐, 세금을 내!

음….

이것이 자신에게 어떤 영향을 미칠 것인지, 또 어떤 피해를 주는지를 생각하며 행동합니다.

음, 안 내면 잡혀가니 내야겠군!

뭐야?

땅

즉 대립하는 힘과 자신을 스스로 돌보는 능력이 생기는 것이죠.

이성

이러한 성년기의 시기가 역사에서는 로마제국을 통해 눈에 띄게 나타납니다.

로마는 아테네와는 달리 이제 몇 사람의 손에 의해 움직이는 도시국가가 아닌

다양한 사람들이 모여 엄격한 규율과 제도를 바탕으로 세워진 국가이지요.

이러한 상황에서는 개인의 뛰어남은 별로 중요한 일도, 관심거리도 아니죠.

제가 개인기가 좀 뛰어나거든요.

됐거든!

오히려 개인들은 전체를 위한 일에 자신을 헌신하고, 역사 발전을 위한 희생물이 되어, 역사의 수단이 되는 것이죠.

팀을 위해 헌신할 재목을 원해!

저처럼 말이죠?

음….

마치 역사를 이끌어 가는 정신이 특정한 개인을 선택해서 다음처럼 말한다고 생각하면 됩니다.

네가 정말 필요한데 나를 위해서 너를 좀 희생하면 안 되겠니?

아….

이러한 로마제국의 발전에는 당연히 로마법이 기초가 되었습니다.

로마법대전

법은 국민들의 생각이 가장 합리적이고 합당한 방법으로 표현된 것이죠.

그래서 로마에서는 국민의 자유가 정당한 법에 따른 것입니다.

법으로 우리의 자유가 인정되었어!

왕에게 자유를 달라고 할 필요가 없지.

개인의 자유를 권리로서 인정하고, 다른 사람들과 평등한 대우를 받았던 것이죠.

법적으로 우린 자유야!

그런데 문제는 이러한 자유가 너무나 형식적이고 법적인 것일 뿐 사람들이 실생활에서 체감하는 자유는 그리 크지 않았습니다.

쉿, 조용히 하시오!

쳇, 뭐가 자유야!

별로 자유를 누리고 있다는 생각이 들지 않아.

로마의 발전은 두 가지 방향으로 나갑니다.

하나는 국가가 강한 힘을 가지고 제각기 자신을 내세우는 개인들을 억지로라도 통합하고 통치하는 것입니다.

국가

으악!

사람들은 자신의 개성과 주권에 대한 권리를 직접 자기 손에 쥐고 스스로 주인이 되려 했고

주권은 국민에게 있어. 우리를 억압하지 마!

국가는 이것을 국민이 도전하는 것으로 생각했어요. 따라서 국가는 국민을 통치하기 위해 강력한 힘으로 억누르게 되는 것이죠.

지금 나에게 도전한다는 거야?

크윽!

이러는 사이 점점 개인과 국가는 대립하고 충돌하는 사이가 되어 갑니다.

VS 국가

다른 한 가지 방향은 국민이 자유를 포기하지 않기 위해 자신의 내면으로 깊이 숨어버리는 것이죠.

내 안으로 들어가면 안전해!

아읍

정신 속의 동굴로 들어가서 혼자만의 자유나라를 만들었다고나 할까요?

정신 속에서나마 자유나라를 만듭시다.

그럽시다.

국가가 강한 힘을 가지고 강제로 복종시키려 하면, 사실 사람들은 두려워할 수밖에 없어요.

누가 국가를 반대하는 거야?

아따, 살벌하네.

그러나 어떻게 해서 얻은 자유인데, 그것을 쉽게 포기하겠어요?

절대 포기 못하지!

그래서 많은 사람들은 소극적인 방법으로라도 자유를 지키려고 하죠.

이러한 이유로 로마에서는 현실세계에 대해 비웃고 냉소하는 철학과 사상들이 많이 생겨났어요.

군중심리만큼 불확정한 것은 없고, 여론이란 애매하며, 선거인의 대다수 의견같이 허위인 것은 없다!

키케로

현실세계의 것들을 부정하고 철학의 세계로 도피한 것이죠.

하지만 이러한 방법은 너무나 소극적이지요.

동양과 그리스에서는 공동체의 운명을 개인의 운명보다 더 중요하게 여겼기 때문에 국가와 개인의 대립이라는 것은 있을 수 없는 일이었지요.

나라가 개인보다 중요하지.

당연한 거 아냐?

그런데 로마 시기에 국가는 여전히 강력한 힘으로 통치를 했고

반면 사람들은 자신의 권리와 소중함을 깨달으면서 개인의식이 발달하게 되었던 거죠.

뭐야? 지금이 어느 시댄데…

아직도 왕권이 최고인 줄 알아?

그래서 국가와 개인은 서로 대립하면서, 공동체가 유지되도록 하는 인륜이 점점 약해지게 됩니다.

국가

ㅊ ㅊ ㅊ

인륜

이러한 상황에서는 종교의 힘이 강해집니다.

종교는 철학적인 도피보다 적극적 방법으로 사람들을 단결하도록 합니다.

이렇게 해서 실제로 기독교는 로마제국에서 중요한 역할을 하다가 마침내 로마의 국교가 되었어요.

하지만 기독교는 로마를 구하지 못하고, 오히려 스스로 타락하는 결과를 가져왔지요.

면죄부를 사면 천국에 간다네!

정말요?

세계의 완성기 : 게르만

이제 역사는 성년기를 지나 완성기에 들어가게 됩니다.

이번에도 역사는 무대를 옮겨갑니다. 이번 장소는 게르만 국가입니다.

게르만 국가는 독일만이 아니라, 스칸디나비아, 네덜란드, 심지어는 영국까지도 포함합니다.

완성기라고 말한 이 시기를 사람의 나이에 빗대어 보면 노년기에 해당하지요.

역사

사람의 노년기와 달리 역사의 정신에 관한 노년기는 완전한 성숙을 말합니다.

정신은 노년기에 접어들어 모든 대립과 갈등을 극복하고, 서로 분열되었던 것을 통일해 완전한 하나가 됩니다.

국가
국민

게르만 국가는 기독교에서 강조하는 화해와 용서의 정신을 바탕으로 해서 생겨났어요.

너희는 서로 용서하라.

로마제국이 멸망한 후, 기독교가 진정한 뜻에서 세계적인 형태로 발달하기까지는 상당히 오랜 시간이 걸리게 됩니다.

왜 이리 오래 걸려?

왜냐하면 교회는 엄청난 권력을 가지고 세상에서 가장 강력한 존재가 되지만, 종교는 끝없이 타락했기 때문입니다.

교황님, 면죄부를 팔아서 돈을 꽤 모았습니다. 크크크크!

그래? 푸헤헤헤!

종교는 사람들에게 빛을 주기보다는 오히려 어둠의 시기를 던져주었고, 사람들에게 자유보다는 억압을 주었지요.

이때를 나는 '기나긴, 파란만장하고 끔찍한 밤'이라고 표현합니다.

꺄아~~!

종교는 세상에 굴복해 마침내 타락했고, 이 말은 종교가 모든 것을 지배하던 시기가 끝났다는 뜻입니다.

엥? 어째서 종교가 타락하면 지배가 끝난다는 거예요?

왜냐하면 종교가 세상의 권력에 집착하고 물질의 뒤를 쫓아다니면

으화화화화!

그 지지 기반인 국민을 잃게 되기 때문입니다.

흥!

뭐가 화합과 용서야?

역사에 큰 어려움이 생겼네요.

그런데 이러한 일이 역사 발전에 꼭 나쁜 것이 아니랍니다.

왜요?

어떤 하나의 원리가 무너지면, 그 자리에는 반드시 새로운 변화가 일어나는데,

이때 활동을 시작하는 것이 바로 나 정신이지요.

종교가 약해지고 세상에서 해야 할 자기 역할을 못하게 되면서, 정신은 말 그대로 정신을 차리고 생각합니다.

이대로 좋은 것일까? 이건 정말 아니잖아? 아니야, 이건 아니야. 바꿔야 해.

바로 이성의 원리가 빛을 내게 되는 것이죠. 즉 정신은 세상의 여러 가지 활동과 제도들을 따져보고 이끌어 가는 역할을 합니다.

나의 목표를 세상에 펼치기 위해서는 변화가 필요해.

이제 자유에게 큰 기회가 온 것이죠.

엥? 나에게 기회가?

자유는 자신의 진실한 모습을 세상에 드러낼 수 있게 된 것입니다.

이제 내가 활약해야 겠군!

자유는 바로 정신이고, 정신이 바로 자유이기 때문입니다.

네가 나고 내가 너니까!

정신이 중요한 활동을 하면 자유도 함께 활동하죠.

가자, 자유!

넵!

정신이 주인인 국가에서 자유는 모든 사람을 위한 것이죠.

국가와 교회의 대립이 없고 정신이 자신의 뜻을 현실에 펼치는 세계에서는

으하하하! 이제 나의 뜻을 이 세계에서 펼치리라!

하하하!

자유란 한 사람이나, 특정 사람 몇몇을 위한 것이 아니고

자유는 우리만을 위한 것이었는데….

모든 사람들에게 약속된 것입니다.

자유는 우리 모두의 것이야!

또한 서로 대립하던 여러 원리들이 이성적으로 통일되고,

이것을 바탕으로 한 헌법을 가진 국가에서는 인륜과 국가에 대한 의식이 완성기에 접어들게 됩니다.

인륜과 정신이 완성되는 거지.

즉 개인과 국가의 대립도 없어지죠. 이러한 국가를 나는 게르만 세계라고 생각합니다.

물론 게르만 국가라고 해서 처음부터 이렇게 모든 사람들에게 자유가 있었던 것은 아니죠.

우리도 처음에는 왕에게 복종해야 했지.

내가 말하는 게르만 국가는 초기의 게르만이 아닌 16세기 이후의 게르만 입니다.

게르만이 이러한 성숙한 정신과 자유를 실현하는 국가가 된 데에는 굉장히 중요한 역사적인 사건 덕분이었지요.

어떤 사건이요?

그것은 바로 루터의 종교개혁 입니다.

종교개혁이 뭐야?

16~17세기 유럽에서 일어난 그리스도 교회의 혁신운동이야.

종교적인 원리와 현실, 그리고 정신의 세계가 대립하는 것은 게르만 국가에서도 계속되었지만,

어려울 때 기도하십시오.

당장 먹을 것이 없는데 기도만 한다고 나오냐고!

종교의 타락을 깊이 반성하면서 정직과 진실성 그리고 검소함으로

돈과 명예 권력에 대한 욕심을 회개합니다.

본래의 종교 모습을 되찾으려는 새로운 정신이 싹트게 됩니다.

신의 뜻은 나를 통해 알 수 있습니다.

말도 안 돼!

이것은 교회를 거치지 않고 개인이 직접 기독교의 신, 그리스도를 만나려고 하는 정신입니다.

교회를 나와야만 신을 만나는 것이 아닙니다.

여기서 루터는 게르만 국가에 아주 큰 공헌을 했어요.

근데 아저씨는 누구세요?

내가 루터야. 독일의 종교 개혁자이자 신학자이지.

그는 종교개혁을 통해 이전의 종교와는 달리 현실을 부정하지 않고 긍정하는 종교를 주장했고,

우리 현실의 삶 속에서도 예배해야 합니다!

오오~

이로 인해 사람들은 죽음 후의 세계보다는 현실에 충실한 삶을 생각하기 시작했으니까요.

맞아, 현재의 삶에 최선을 다하는 것도 하나님의 뜻이야.

《성경》에도 모든 일을 하나님께 하듯 하라고 했잖아.

이러한 종교개혁을 통해 사람은 자신의 고유한 능력을 깨닫고,

우린 너무 교회에 얽매여 우리 자신을 돌보지 않았어.

우리는 하나님의 소중한 사람들인데….

교회의 권위에서 벗어나,

나가지 마시고 이 면죄부를 사시라고….

천국을 돈 주고 사려 했다니….

자신의 양심을 판단의 기준으로 삼을 수 있게 되었어요.

양심의 소리에 귀를 기울여서 옳다고 생각하는 일을 하자!

그래, 그래!

이것은 대단히 놀라운 일이죠.

왜요?

사람들이 스스로를 믿고 자신이 가진 자유로운 정신의 활동에 따라 행동할 수 있게 된 것이니까요.

이렇듯 종교개혁은 정치 · 경제 · 사회, 각 분야에서 세계적으로 크게 영향을 미쳤어요.

이러한 이유로 나는 루터의 종교개혁을 세계 역사상 정말 대단한 일이라고 생각합니다.

아, 부끄럽게….

루터 짱!

그리고 종교개혁으로 일어난 변화는 이제 게르만 세상을 변화하도록 만들었지요.

종교개혁을 통해 여러 가지 원리들이 서로 대립하고 분열하던 것을 끝내고,

경제

정치

사회

서로 통일이 되어 법과 제도라는 이성적인 방법으로 발전한 것입니다.

그러면서 민족국가로 성장했고 주권도 강화하기 시작해 국가와 교회의 대립은 사라지게 되었죠.

이제 화해하죠.

그럽시다.

그러는 사이 프랑스에서는 왕의 절대 권력에 시달리다 못해서

우리는 굶어죽는데 귀족들은 음식이 남아돌아 버린다고?

뭐라고?

피를 흘리는 혁명이 일어났지만,

이런 말도 안 되는 나라가 어딨어?

맞아! 왕과 귀족을 몰아내자!

게르만 국가는 시민들의 요구가 있기 전에 먼저 법을 만들고

프랑스혁명이 우리나라에 일어나기 전에 법을 만듭시다.

네!

개인의 사유재산을 보호하고 자유를 보장했지요.

예전에는 모든 것이 왕의 것이라더니…. 세상 좋아졌는걸.

그러게요.

많은 피를 흘린 프랑스혁명을 보면서

프랑스 왕 루이 16세가 시민들에게 처형당했다고 합니다.

뭐라고?

국가와 국민의 대립을 어떻게 해결하는 것이 옳은지를 통치자가 미리 생각한 것이죠.

내가 눈치가 좀 빠르지!

그리고 법을 통해 국민의 권리를 약속함으로써 프랑스와는 달리 군주가 자기 마음대로 하는 것을 막았어요.

사옥을 지으려면 세금을 좀 더 걷어야겠는데….

법에 의하면 사적인 용도로 세금을 쓰거나 걷으면 안 됩니다.

크윽! 법을 만든 것은 좋았는데 내 마음대로 하기가 힘들잖아.

이 결과 게르만 국가의 군주는 실질적인 권력을 마음대로 휘두를 수 없었지요.

왕이지만 실권이 크진 않았어.

그러나 국가의 의무는 모든 것을 제도와 법에만 의존하지 않고, 인류을 바탕으로 윤리와 사회 정의를 지키고,

윤리와 사회 정의 실현이 목표야!

이것을 다시 종교적 선(善)과 조화롭게 통일을 이루는 세상을 만들어가는 것입니다.

국민들은 선한 세상을 원합니다.

물론이오. 우리 함께 아름다운 세상을 만듭시다.

이 시기가 세계사의 완성기이고, 게르만 국가는 이 완성기에 활약한 주인공입니다.

자, 나의 《역사철학 강의》는 여기까지입니다. 긴 시간 동안 나와 함께 역사 여행을 해주어 고맙습니다.

여러분 덕분에 나도 다시 역사철학에 관한 많은 공부를 했습니다.

음, 잘 가르쳐 주려면 나도 예습을 해야지.

여기서 다하지 못한 많은 이야기들은 나중을 위해 남겨두기로 하고,

이제 역사철학에 대한 이야기를 마치겠습니다.

수고 하셨습니다.

너무 즐거운 시간이었어요.

벌써 작별이라니….

다시 만날 수 있길 바라면서! 여러분, 안녕!

《역사철학 강의》
깊이 읽기

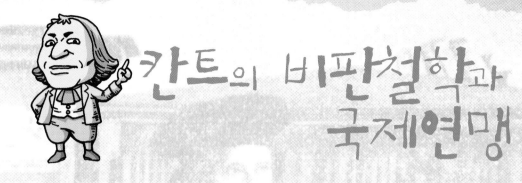

칸트의 비판철학과 국제연맹

▲ 칸트

흔히 서양철학에 커다란 영향을 미친 독일 관념철학의 완성자를 헤겔이라고 합니다. 그리고 관념철학이 헤겔에게서 완성되었다면, 그 출발점은 칸트라고 할 수 있습니다. 이러한 이유에서 칸트와 헤겔, 이 두 철학자는 독일을 대표하는 철학자입니다.

관념철학은 정신, 이성을 세계를 움직이는 원리이자 본질로 보며, 이 원리를 통해 우리가 눈으로 보고 경험하는 세계, 즉 우리 앞에 나타나는 현상 세계를 밝혀내고 설명합니다. 경험이 아닌, 정신이 핵심적 역할을 하는 것이죠. 그래서 관념철학을 이상주의철학이라고도 합니다. 독일 관념철학이란 18세기 말에서 19세기 중반에 걸쳐 독일을 중심으로 활발하게 전개된 철학사상이지만, 관념철학은 근대 철학의 시작을 알리는 것이며, 또한 서양철학의 핵심이기도 합니다.

칸트는 독일 쾨니히스베르크에서 1724년에 태어나 그곳에서 공부하고, 교수 생활을 하다가 1804년에 세상을 떠났습니다. 칸트는 자신이 태어난 쾨니히스베르크를 벗어나 본 일이 없다고 하니, 조금은 별난 철학자였습니다. 그는 결혼도 하지 않고 오로지 자신의 연구에만 몰두했습니다.

칸트는 전형적인 대기만성형 철학자입니다. 칸트는 자신의 대표작인 《순수이성비판》을 1781년, 57세에 완성했습니다. 이 책이 발표되기까지 칸트는 18년이라는 긴 시간을 묵묵히 연구에 몰두했던 탓에 가까운 친지들조차 대체 그가 무엇을 하고 있는지 모를 정도였다고 합니다. 이 책이 철학에 끼친 영향은 엄청났습니다. 많은 사람들이 이 책을 철학의 혁명을 일으킨 것이라 말할 정도였고, 이 책으로 독일철학이 세계철학을 이끌어가는 중심적인 역할을 하는 계기가 되었습니다. 칸트는 《순수이성비판》을 시작으로 3대 주저서로 꼽히는 《실천이성비판》과 《판단력비판》을 계속

▲ 칸트가 몸담았던 쾨니히스베르크대학의 옛 모습

발표해, 비판정신을 기초로 하는 철학세계를 완성했고 이로써 칸트의 철학은 근대 철학의 틀이 되었습니다.

그 결과 칸트는 나폴레옹, 베토벤과 함께 '키 작은 세 거인' 중의 한 사람이 되었습니다. 심지어 독일 시인 하이네는 칸트의 영향력을 말하기 위해 프랑스혁명의 지도자에 빗대어 '철학의 로베스피에르'라고 했습니다.

그러나 칸트의 관념철학을 무조건 이성을 옹호하는 것으로 이해하는 것은 잘못입니다. 칸트는 세 권의 주요 저서를 통해 이성의 가장 핵심적인 활동으로서 '비판하는 능력'을 말했습니다. 이성이 가진 최고의 힘은 자기 스스로를 반성하고 비판하는 것인데, 이러한 비판 능력을 통해 인간은 경험이나 마음 상태에 좌우되지 않고, 논리적인 판단과 타당한 추론을 통해 올바른 지식을 얻을 수 있습니다. 나아가서 칸트가 말하는 이성은 단순히 생각하

는 것에 그치지 않고 인간으로 하여금 도덕적으로 올바르게 행동하고 선한 일을 실천하도록 하며, 자신의 의무에 대한 책임을 지도록 합니다. 칸트는 이성을 활용해 아는 것과 행동하는 것을 서로 분리하지 않고 하나의 '전체'로 말했습니다.

그의 도덕적이고 윤리적인 책임의식은 개인의 행동에만 한정되지 않았습니다. 칸트는 국가 간의 평화적 관계를 위해 세계 최초로 국제연맹을 주장했습니다. 인간은 자유를 실현하고 정의를 이루기 위해 국가가 필요하듯, 세계의 국가들 역시 전쟁과 같은 자연적이고 야만적인 상태를 벗어나 각 국가들이 영원히 평화롭게 공존하기 위해서는 세계 공화국을 건설해야 하며, 이를 실천에 옮기기 위해 국제연맹이 필요하다는 주장을 《영구평화를 위하여》에서 주장했습니다. 이러한 그의 주장은 세계시민정신과 자유에 대한 강한 의지를 바탕으로 하고 있습니다. 오늘날 유엔과 같은 국제기구를 세기를 앞서 주장한 그의 사상에서 단순한 정의와 평화에 대한 강한 의지만이 아니라, 상당히 진보한 계몽사상과 삶의 자세를 엿볼 수 있습니다.

이러한 철학자 칸트의 모습은 다른 어떤 것보다 그의 묘비명에서 잘 볼 수 있습니다. '항상 새롭게, 갈수록 더 커지는 감탄과 경외감으로 나의 마음을 채우며, 더 자주 그리고 지속적으로 몰두하게 되는 것이 두 가지 있다. 그것은 바로 별들로 빛나는 내 머리 위의 하늘과 내 가슴속의 도덕법칙이다.'

칸트는 자신의 철학 체계를 세우는 데 있어서 큰 영향을 준 사람으로 루소와 흄을 들었습니다. 칸트는 '루소가 나를 정리했다.' 그리고 '흄에 의해 독단에서 깨어났다.'고 솔직하게 말했습니다. 가식도 꾸밈도 없이 솔직한 그의 태도에서 다시 한 번 그의 철학과 삶의 자세를 볼 수 있습니다.

피히테의
〈독일국민에게 고함〉

피히테는 칸트와 헤겔의 관념철학 사이를 잇는 철학자 가운데 한 사람입니다. 피히테는 1762년에 태어나 예나대학과 라이프치히대학에서 공부하며 신학과 종교에 뜻을 두었습니다. 이러한 피히테에게 가장 큰 영향을 준 사람은 칸트입니다. 피히테는 특히 칸트의 《실천이성비판》을 읽고 난 후, '사람은 선천적으로 도덕적이다.' 라는 신념을 가지고 참된 철학을 위해 헌신하기로 각오했을 뿐만 아니라, 직접 칸트를 만나기 위해 폴란드 바르샤바에서 독일 쾨니히스베르크까지 갈 만큼 크게 감명을 받았습니다.

▲ 피히테

피히테는 자신의 논문 〈모든 계시에 대한 비판시도〉를 칸트에게 보였는데, 칸트는 이 논문에서 자신의 철학을 잘 이해하고 발전시킬 수 있는 또 한 사람의 철학자를 발견한 기쁨으로 논문을 높이 평가하면서, 출판할 수 있도록 도움을 줬습니다. 그런데 초판을 출판할 때 실수로 피히테의 이름과 서문이 빠진 채로 출판하는 바람에 사람들은 이 논문을 칸트의 것으로 알았다고 합니다. 그러나 곧 피히테의 글이라는 것이 알려졌고, 피히테는 단숨에 유명한 철학자로 자신을 세상에 드러냈습니다. 그러나 그 후 칸트와의 우호적인 관계는 끝이 나고, 칸트와 피히테는 서로 비난하면서 결별했습니다.

피히테는 〈모든 계시에 대한 비판시도〉에서 계시종교의 조건을 설명하고, 믿음은 도덕법칙과 관련한 것임을 주장하면서 참된 도덕심은 실천적으로 나타나야 하며, 이것은 바로 칸트가 말한 실천적 이성에 의해 이루어진다고 주장했습니다. 피히테의 관심은 무엇보다도 이론과 실천의 관계였습니다. 그는 '만약 이론을 아는 정신과 실천하는 정신이 아무 관계가 없다면 우리는 어떤 근거와 이유를 가지고 무엇인가를 실천에 옮길 수 있겠는가?' 라고 물었습니다. 아무 근거도 없이 무턱대고 실천에 옮기고 행동하는 것은 터무니없고 어리석은 일이기 때문입니다. 이러한 물음에 대해 피히테는 무엇인가를 아는 자아와 실천하는 자아는 하나라는 결론을 내립니다. 이렇게 통일된 정신을 피히테는 '자아' 라고 말합니다. 자아는 처음부터 실천하는 자아이지만 개인적인 자아만을 말하는 것은 아니고 전 인류의 자아를 의미합니다. 또한 이론과 실천을 통일한 자아는 제한을 받지 않는 무제약적인 자아입니다. 인간의 자아가 모든 것을 변화시킬 수 있다는 이러한 극단적인 관념적 사상의 바닥에는 '인간은 도덕을 실현하기 위한 도구' 라는 생각이 자리 잡고 있습니다.

피히테의 이상주의적 관념철학은 프랑스의 나폴레옹 군대가 독일(프로이센)을 공격하자, 국가와 민족의 미래를 걱정하고 국권의 회복을 위한 구체적인 실천으로 옮겨졌습니다. 피히테는 1806년 프랑스가 독일을 크게 이기자, 베를린을 떠났다가 1807년에 다시 돌아와 〈독일국민에게 고함〉이라는 유명한 연설을 했습니다. 피히테는 수많은 연설을 통해 독일이 망한 이유를 이기심과 도덕적인 타락 그리고 민족정신이 없기 때문이라고 강조하면서 국가의 장래는 교육과 민족의 자긍심 회복에 달려 있다고 호소했습니다. 피히테는 무엇보다도 도덕심과 윤리의식을 위한 교육의 중요성을 역설하면서 이렇게 호소했습니다. '어제 무위도식하고 오늘도 여전히 결심하지 못하는 자가 내일 이것을 할 수 있을 것인가?' 이러한 그의 실천적인 행동은 큰 영향력을 발휘해 많은 사람들의 마음을 움직였고, 독일국민들의 강한 민족의식은 그 후 다시 일어난 프랑스와의 전쟁에서 크게 승리하는 데 결정적 원인이 되었습니다.

▲ 1850년대 베를린대학

피히테는 1810년부터 1812년까지 베를린대학의 초대 총장을 지냈는데, 그의 철학은 윤리를 강조한 예나 시기 (1793~1798)와 신비적 · 신학적 관심이 강해지는 베를린 시기(1799~1806)의 두 시기로 나누어집니다. 피히테는 1814년 베를린에 콜레라가 유행했을 때, 봉사 구호 활동에 나선 부인에게서 콜레라가 전염되어 57세의 젊은 나이로 세상을 떠났습니다.

조숙한 천재, 셸링의 동일철학

▲ 셸링

피히테의 뒤를 이어 관념철학을 발전시킨 또 하나의 철학자는 천재로 알려진 셸링입니다. 셸링은 1775년, 독일 슈투트가르트 근처의 레온베르크에서 태어났습니다. 루터 교회의 목사이면서 동양 언어를 가르치는 교사였던 아버지의 영향을 받아 셸링은 일찍부터 천재성을 보였습니다. 셸링은 15세에 장학금을 받으며 튀빙겐대학에 입학했습니다. 이때 셸링은 횔덜린과 헤겔을 만나 절친한 친구 사이가 되었습니다. 이들은 프랑스혁명이 일어나자, 혁명을 통해 주장된 자유와 박애정신에 큰 감명을 받고 기꺼이 프랑스혁명 정신을 이어가기로 서로 약속하며 '자유의 나무'를 심기도 했습니다.

셸링은 칸트와 피히테로부터 관념철학의 영향을 크게 받았고, 네덜란드 철학자 스피노자로부터는 범신론적인 영향을 받아서 '동일철학'이라는 자신의 독자적인 철학을 발전시켰습니다. 셸링의 동일철학에 의하면 정신과 자연, 객관적인 것과 주관적인 것은 서로 다른 것이 아니고 동일한 것이며, 둘 사이에는 절대적 구별이 없습니다. 다만 자연은 아직 정신에 비해 충분히 발전하지 못한 것뿐이라고 합니다. 이러한 그의 철학은 칸트와 피히테의 관념철학과는 상당한 차이가 있을 뿐만 아니라, 특히 피히테에 대한 비판의 비중이 컸습니다.

하지만 셸링이 처음부터 피히테를 비판한 것은 아닙니다. 피히테는 젊은 셸링에게 철학적 영웅이었습니다. 피히테 철학에 깊은 인상을 받은 셸링은 불과 19세에 그의 첫 철학 책 《철학 일반의 형식의 가능성에 대하여》를 피히테에게 보냈고, 이 책으로 피히테는 셸링의 천재적 능력을 단번에 알아보고 그를 열렬히 지원했습니다.

그러나 셸링이 1795~1797년 라이프치히에서 가정교사를 하던 시기에 독자적인 철학을 추구하면서 두 사람 사이의 우호적인 관계는 지속될 수 없었습니다. 셸링은 피히테가 자연을 인간에 종속한 것으로 보는 것을 비판했습니다. 셸링은 자연이 정신을 향해 점차 발전하는 것으로 보는 자연철학을 주장했습니다. 1798년에는 괴테의 추천으로 예나대학 교수로 활동하면서 많은 책을 내, 자신의 철학을 더욱 발전시켰습니다. 이 시기에 셸링은 범신론적 사상으로 더 나아가면서, 예술이 맡은 중요한 역할을 설명했습니다. 즉 예술은 자연적인 것과 정신적인 것을 연결하는 매개자이며, 자연성과 정신성은 서로 분리되지 않은 것으로 점점 더 높은 수준의 단계로 떠오른다는 것입니다. 셸링은 이렇게 피히테 철학의 불완전함에 대해 지적했고, 피히테는 이러한 범신론적인 생각을 날카롭게 비판하면서 두 사람의 관계는 끝나고 말았습니다. 이들이 이렇게 서로를 비판하는 사이가 되었을 때, 헤겔은 대학시절부터 자신의 절친한 친구인 셸링을 옹호하는 태도를 취했습니다.

그러나 헤겔과의 우정 역시 그리 오래가지 않았습니다. 사실 다섯 살 더 많은 헤겔은 셸링의 도움으로 겨우 대학에서 강의를 시작할 수 있었습니다. 두 사람은 한동안 철학연구를 공동으로 하면서 좋은 관계를 이어갔지만 헤겔이 정신과 자연, 객관적인 것과 주관적인 것을 동일한 것으로 보는 셸링의 절대자 개념을 '모든 황소가 검게 보이는 밤'에 비유하며 반기를 들었습니다. 헤겔은 이러한 비판을 담은 자신의 대표작 《정신현상학》 서문을 셸링에게 보냈는데, 헤겔은 자신의 비판은 감정적이거나 사사로운 것이 아니었기에 문제될 것이 없다고 생각했습니다. 하지만 이 글을 읽은 셸링은 큰 충격을 받았고, 두 사람이 튀빙겐 시절부터 맺어온 우정은 끝이 났습니다. 결국 셸링은 평생 헤겔에 대한 적대심을 품고 살았습니다.

헤겔이 죽은 후, 셸링은 베를린대학 교수로 임명되었습니다. 헤겔의 진보적인 사상을 이어받은 헤겔주의자들을 '용의 새끼들'이라 부르며 못마땅하게 생각하던 프로이센의 왕 빌헬름 4세가 이들을 견제하기 위한 목적으로 셸링을 부른 것입니다. 셸링도 각오를 단단히 하고 다시 한 번 철학계의 지도자가 되겠다는 야심을 가졌지만, 결과는 실패였습니다. 결국, 어릴 때부터 보기 드문 천재로 이름을 날렸던 셸링은 시작과는 달리 철학계의 중심에 서지 못한 채, 1854년에 스위스의 한 휴양지에서 세상을 떠났습니다.

사랑하고 고통 받도록 태어난 지상의 아들, 시인 횔덜린

▲ 횔덜린

독일 시인 횔덜린은 헤겔, 셸링과 함께 프랑스혁명을 벅찬 감동과 경탄하는 마음으로 지켜보면서, 자신들 역시 혁명 정신을 실현하고 자유와 인간성 회복을 위해 싸울 것을 약속하며 '자유의 나무'를 심었던 삼총사입니다. 횔덜린은 독일 남서부 슈바벤에 있는 한 작은 도시의 목사 집안에서 태어났습니다. 횔덜린의 어머니는 아들이 성직자가 되기를 바랐고, 그는 1788년 튀빙겐대학에서 신학 공부를 시작

했습니다. 횔덜린은 시와 음악에 관심 있었고 철학 공부도 게을리 하지 않았습니다. 강한 종교적 의식을 가졌지만, 동시에 그리스 신화와 그 문화에 심취했습니다. 그는 그리스 신화를 단순히 과거의 흥미로운 이야기로 생각하지 않았는데, 그에게 그리스 신들의 이야기는 실제적인 생명력을 가진 존재들이었습니다. 횔덜린은 점점 시 쓰는 일을 자신의 천직으로 여기면서, 시인을 신성한 존재로 여겼습니다. 그는 시인이 신과 인간 사이를 중재하고 연결하는 성스러운 일을 한다고 믿었습니다.

그 후 횔덜린은 피히테의 철학 강의를 듣기 위해 튀빙겐을 떠나 예나대학으로 갔습니다. 당시 예나는 학문의 중심지였고, 피히테는 최고의 철학자로 인정받고 있었

습니다. 따라서 횔덜린이 피히테로부터 많은 감동과 자극을 받았던 것은 자연스러운 일이었습니다.

1793년 실러의 추천으로 그는 가정교사 자리를 얻고, 실러가 발행하던 간행물에 고대 그리스 정신을 담은 시를 발표하다가, 다시 1795년 프랑크푸르트의 부유한 은행가의 집에서 가정교사를 하게 되는데, 여기서 횔덜린은 자신의 운명에 큰 영향을 미칠 은행가의 부인, 주세테를 만났습니다. 횔덜린과 주세테는 서로 사랑하게 되고 횔덜린은 주세테를 자신의 시에서 그리스 정신의 화신으로 묘사하며 '디오티마'로 등장시켰습니다. 이때의 상황을 횔덜린은 다음과 같이 썼습니다.

"나는 더 말할 수 없이 잘 지낸다. 아무런 걱정 없이, 신들도 이렇게 행복한 삶을 살지."

그러나 횔덜린은 더 이상 프랑크푸르트에 있을 수 없게 되자, 이곳저곳으로 옮겨 다니며 신경증 증세 속에 방황과 혼란을 거듭하면서도 시 쓰는 일만은 게을리 하지 않았습니다. 그러다가 주세테의 죽음으로 횔덜린의 정신분열증은 돌이킬 수 없이 심해지고, 친구 싱클레어의 도움에도 불구하고 횔덜린은 37년이라는 긴 세월 동안 정신병으로 고통을 받다가 1843년, 정신병원에서 생을 마감했습니다. 이러한 자신의 운명을 예감이나 한 것처럼, 횔덜린은 자신의 시에서 이렇게 말했습니다. "하늘의 불을 우리에게 빌려준 저 신들은 성스러운 슬픔도 함께 주었지. 그대로 두라, 지상의 아들인 나, 사랑하고 고통 받도록 태어났느니."

그러나 시를 통해 신들에게 돌아갈 것을 말하며, 시를 가장 순수한 것으로 생각하면서 인간성과 우정, 자유에 대한 찬가를 썼던 횔덜린은 생전에는 아무런 주목도 받지 못했고, 죽은 후에도 거의 100년 정도 잊혀져 있었습니다. 비로소 20세기에 와서 하이데거가 횔덜린을 시인 중의 시인으로 칭송하면서 횔덜린은 새로운 평가를 받게 되었습니다. 이제 횔덜린은 그리스 정신과 기독교를 가장 훌륭히 융합한, 독일 역사상 최고의 철학적 시를 쓴 시인임을 의심하는 사람은 아무도 없을 정도로 높이 평가받고 있습니다.

헤겔의 영원한 경쟁자, 쇼펜하우어

철학사에서 오르기 가장 힘들고 높은 산 중에 하나로 꼽히는 헤겔이지만, 그에게 지치지 않고 경쟁심을 가졌던 사람이 바로 염세철학자로 널리 알려진 쇼펜하우어입니다.

▲ 쇼펜하우어

쇼펜하우어는 당시에는 독일 땅이었지만, 지금은 폴란드에 속하는 단치히라는 곳에서 1788년에 태어났습니다. 아버지는 부유한 상인이었고, 어머니는 글을 썼는데 꽤 알려져서 괴테와도 친분이 있었습니다. 부유한 아버지 덕분에 쇼펜하우어는 가정교사로부터 교육을 받았는데, 아버지는 교육에 대단히 적극적이었습니다. 아버지는 쇼펜하우어가 상인으로 성공하기를 기대했지만, 쇼펜하우어는 인문학에 관심 있었기 때문에 일찍부터 부모와 갈등을 겪었습니다. 게다가 어머니는 아버지보다 더 심해서, 지나친 기대로 간섭하거나 고집을 부렸습니다. 어머니는 아들이 작가가 되기를 바랐기 때문에 괴테를 비롯한 당시의 유명한 사람들에게 아들 일을 부탁하곤 했습니다. 그러나 쇼펜하우어는 철학자가 되기를 원했습니다. 이로 인해 쇼펜하우어는 오랫동안 어머니와 힘든 상태로 지냈는데, 결국에는 쇼펜하우어의 철학적 재능을 비웃는 어머니와 절연하고 다시는 만나지 않았습니다. 아버지가 일찍 세상을 떠난 후, 쇼펜하우어는 원하던 철학 공부를 괴팅겐대학에서 할

수 있었고, 그곳에서 칸트와 플라톤 철학을 열심히 공부했습니다. 그 뒤 베를린대

학으로 옮겨서 피히테에게 가르침을 받고 1813년에 철학박사 학위를 받았습니다.

쇼펜하우어는 1819년에 자신의 대표작 《의지와 표상으로서의 세계》를 출판하고

다음 해에 베를린대학 교수 자격을 얻었습니다. 쇼펜하우어가 대학교수로 시범강

의를 할 때 사회를 본 사람이 헤겔이었고, 이렇게 해서 두 사람의 경쟁과 악연이 시

작됐습니다. 쇼펜하우어는 자신의 천재성과 독창성을 굳게 믿었기 때문에 대단한

자부심을 가지고 있었습니다. 사람들이 곧 자신의 진가를 알아보고 자신의 철학에

관심을 가질 것이라고 믿었습니다. 자신의 능력을 증명해 보이기 위해서 쇼펜하우

어는 헤겔과 같은 시간에 강의할 것을 고집했습니다. 하지만 그 결과는 참패였습니

다. 그의 강의는 외면당하고, 사람들은 헤겔 강의에 몰려들었습니다. 쇼펜하우어의

자존심은 형편없이 망가졌고, 그의 철학은 주목받지 못했습니다. 이를 두고 쇼펜하

우어는 어리석은 사람들이 철학을 밥벌이 수단으로 타락시키는 헤겔이라는 ‘협잡

꾼’에게 속은 것이라고 독설을 퍼부었습니다. 하지만 이러한 경쟁심은 쇼펜하우어

의 일방적인 것이었습니다. 헤겔은 이미 최고의 철학자로서 그의 능력과 탁월함을,

헤겔 자신은 물론이고 누구도 의심하지 않았습니다.

쇼펜하우어 철학은 헤겔의 인기와 명성에 가려 제대로 주목과 평가를 받지 못하

면서, 그의 철학보다는 그의 이름이 더 알려졌고 많은 오해와 왜곡도 일어났습니

다. 쇼펜하우어의 철학을 흔히 ‘의지의 철학’이라고 합니다. 그는 세계의 본질은

의지라고 주장합니다. 이러한 의지는 이성에 의해 통제되거나 조절되지 않은 맹목

적이고 본능적인 것이며, 무엇인가를 끊임없이 추구하고 움직이려는 본능적인 의

지를 가지고 인간은 세계를 있는 그대로 받아들이지 않고, 능동적으로 알려고 합니

다. 다시 말하면 직관력, 창조력, 이성으로 설명되지 않는 비합리적인 것들의 중요성을 강조합니다. 따라서 '나' 라는 주체가 없는 세계는 의미가 없습니다. 자신의 의지대로 움직이려는 과정에서 고통을 피하기 어렵고, 그래서 불행할 수밖에 없다는 것입니다.

이러한 쇼펜하우어의 철학을 단순히 염세적 철학이라고 보기는 어렵습니다. 그는 헤겔이 말한 이성의 위대함 대신 맹목적인 의지와 충동의 생명력을 주장하면서, 이에 대한 무력한 인간의 한계를 지적합니다. 의지와 한계의 극복을 위해서 쇼펜하우어는 인도 철학을 연구해 자신의 철학에 도입한 최초의 서양철학자입니다.

쇼펜하우어 철학은 흔히 알고 있는 것과는 달리 많은 분야에 커다란 영향과 자극을 줬습니다. 본능, 충동과 의지를 세계의 핵심으로 보는 그의 철학은 당시 대학에서 가르치기에는 알맞은 것이 아니었고, 쇼펜하우어는 철학교수를 '강단철학자' 라고 비웃으면서도 마음으로는 교수가 되고자 하는 생각을 버리지 못했습니다. 하지만 쇼펜하우어 철학은 점차 실존철학, 생철학, 프로이트 심리학, 음악, 문학 등 예술 분야에서 커다란 결실을 맺었고, 쇼펜하우어를 스승으로 따르는 수많은 추종자들이 생겨났습니다.

쇼펜하우어의 대표적 저서는 《의지와 표상으로서의 세계》이지만, 그의 출세작은 63세에 발표한 《여록과 보유》였습니다. 이 책이 출판되고 그는 명성을 얻었고 인정을 받기 시작했습니다. 쇼펜하우어는 콜레라에 걸려 죽은 헤겔과는 달리, 콜레라를 피해 프랑크푸르트암마인에서 생활하다가 1860년, 그곳에서 세상을 떠났습니다.

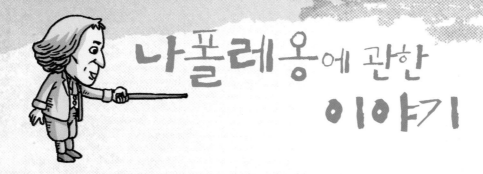

나폴레옹에 관한 이야기

프랑스혁명으로 절대군주 국가가 무너지고 새로운 시민사회가 시작하면서, 나폴레옹의 등장은 유럽을 완전히 뒤흔들었습니다. 나폴레옹은 유럽 전체가 불안정한 시기에 군대를 이끌고 정권을 장악하여 스스로 황제가 되었습니다. 이 일은 유럽을 발칵 뒤집어 놓은 대사건이었습니다. 나폴레옹은 대대로 왕들의 대관식이 열린 랭스대성당 대신 노트르담대성당에서, 그것도 교황이 황제의 관을 씌워주던 당시의 관습을 무시하고 스스로 자기 머리 위에 관을 씌우고 황제 자리에 올랐습니다. 그뿐만

▲ 나폴레옹

아니라, 나폴레옹전쟁(1797~1815)을 일으켜 유럽에서 가장 강한 프랑스를 만들었습니다. 당시 나폴레옹은 누구하고도 비교할 수 없는 영웅이었습니다.

괴테는 1808년에 나폴레옹을 두 번 만났습니다. 나폴레옹을 대면했을 때, 괴테는 '여기 인간이 있다.' 라고 말했습니다. 괴테는 나폴레옹에게서 한 시대를 지배하고 새로운 역사를 만드는 위대한 영웅을 보았던 것입니다. 괴테는 나폴레옹을 '나의 황제' 라고 깍듯하게 불렀으며, 다른 사람들에게도 "나폴레옹은 정말 위대한 인물이네. 우리는 흉내조차 낼 수 없지."라고 말했습니다. 심지어 나폴레옹을 인간에게 불을 훔쳐다 주고 그 벌로 평생 바위에 묶여 고통 받은 프로메테우스에 비유했

습니다. 나폴레옹도 괴테를 잘 알고 있었습니다. 나폴레옹은 괴테가 쓴 《젊은 베르테르의 슬픔》을 전쟁터까지 가지고 가서 무려 일곱 번이나 읽었다고 합니다. 그러나 괴테는 나폴레옹이 자신의 위대함을 칭송하는 글을 써주기를 바라자, "그렇게 할 수 없습니다. 작가는 나중에 후회할 일은 하지 않는 것이 좋습니다."라고 거절했습니다. 또한 파리로 오라는 나폴레옹의 초대에도 응하지 않았다고 합니다.

헤겔 또한 나폴레옹에 대한 경탄과 존경을 숨기지 않았습니다. 헤겔은 나폴레옹을 예나에서 보았는데, 마침 그는 그때 절대정신의 위대함을 역설하는 그의 대표작 《정신현상학》을 마무리하고 있었습니다. 나폴레옹을 본 헤겔은 "시찰하기 위해 말을 타고 도시를 지나가는 황제, 이 세계정신을 보았다. 그러한 개인을 본다는 것은 놀라운 기분이다. 그 사람은 한곳을 집중하며, 말 위에서 세계를 손안에 쥐고, 세계를 지배한다."라고 말했습니다. 그러나 헤겔은 자신의 책에서 아무리 뛰어난 영웅이라 하더라도, 사실은 역사가 스스로 발전하는 과정에서 이성의 간지(간사한 지혜)에 이용되는 '도구'일 뿐이라고 말했습니다.

작은 거인 중의 한 사람으로 꼽히는 베토벤의 나폴레옹에 대한 태도는 가장 신랄하고 인상 깊습니다. 베토벤은 나폴레옹이 구시대를 끝내고 프랑스혁명 정신을 실천에 옮겨서 자유와 평등을 구현하는 새로운 세상을 열 것이라고 믿었습니다. 베토벤은 왕정을 반대하는 진보적인 공화주의자였습니다. 그래서 이러한 존경과 기대를 표현하기 위해 나폴레옹을 위한 교향곡을 작곡했습니다. 그것이 교향곡 3번 〈영웅〉입니다. 베토벤은 교향곡 표지에 헌정을 위해 '보나파르트'라고 썼습니다. 보나파르트가 바로 나폴레옹의 성姓이기 때문이었습니다. 이 교향곡을 막 파리로 보내려던 순간, 나폴레옹이 황제가 되었다는 소식을 들은 베토벤은 교향곡을 파리로 보내지 않았습니다. 그리고 이렇게 소리를 질렀다고 합니다. "그 녀석도 결국 속물에 지나지 않군. 그 녀석도 자기 야심을 채우기 위해 민중의 권리를 짓밟고 더 지독한 폭군이 되겠지!" 베토벤은 2년 뒤에 이 곡을 출판하면서 '한 사람의 영웅을 회상하기 위해서'로 제목을 고쳤습니다. 나폴레옹이 헬레나 섬에서 유배 생활을 하다가 죽었다는 소식을 들은 베토벤은 "내가 그 녀석의 결말에 어울리는 곡을 이미 써 뒀지."라고 말했다는 이야기가 있습니다. 이 곡은 교향곡 2악장에 있는 〈장송행진곡〉을 가리킵니다. 하마터면 사람들은 〈영웅〉 대신 〈보나파르트〉라는 교향곡을 들을 뻔했습니다.

헤겔 철학의 후계자들

헤겔이 죽은 후, 그의 제자들은 '헤겔의 절대정신과 자유사상을 어떻게 해석하고 수용해야 할 것인가?' 하는 문제를 놓고 서로 다른 입장을 가졌습니다. 헤겔은 현실의 변화는 점차 이루어지는 것이며, 세계역사는 국가종교가 그리스도교인 프로이센에서 완성됐다고 보았습니다. 헤겔은 생전에 자신의 철학은 그리스도교 교의와 일치한다고 하면서 확실한 대답을 피했습니다.

▲ 다비드 슈트라우스

그러나 진보적 시각을 가진 헤겔의 제자들이 볼 때, 신이 역사를 통해 점진적으로 자신을 드러낸다는 헤겔의 철학은 그리스도교 교의와 맞지 않았습니다. 이렇게 해서 헤겔의 진보적이고 개혁적인 사상을 강조하고 계승하려는 제자들과 헤겔의 보수적 측면을 중요하게 생각하는 제자들, 그리고 중도적 입장의 제자들로 나누어진 것입니다. 이들은 크게 청년헤겔학파, 노(老)헤겔학파로 불리며, 그 사이에 중도적 입장을 가진 학파가 있습니다.

청년헤겔학파라고 불리는 대표적인 사람들은 다비드 슈트라우스, 브루노 바우어, 루게, 포이어바흐, 슈티르너, 마르크스, 엥겔스입니다. 다비드 슈트라우스(1808~1874)는 《예수의 생애》(1835)에서 성서주의를 비판하면서, 성서의 역사적 정확성을 문제 삼았습니다. 성서를 실제 역사적 사실로 받아들여서는 안 된다고 주장했습니다. 이를 계기로 헤겔학파는 서로 다른 방향으로 나누어지기 시작했습니다.

▲ 브루노 바우어 　　　　　▲ 루게

브루노 바우어(1809~1882)는 슈트라우스보다 한 걸음 더 나아가 헤겔의 혁명적 측면을 강조하면서, 그리스도교는 지금까지 한 역할로 충분하고, 이제 그리스도교는 더 이상 불필요하며, 종교비판이 필요한 때라고 주장했습니다. 루게(1802~1880) 또한 이와 같은 급진적 생각을 했습니다. 이들은 주로 종교적·정치적으로 급진적인 태도를 보였습니다.

헤겔학파 중에서 급진적 종교 비판을 통해 사회를 변화시키려고 한 포이어바흐(1804~1872)는 유물론적 사상으로 나갔습니다. 그는 그리스도교는 인간의 속성이 왜곡돼 나타난 것이라고 하면서, 그리스도교는 횡포와 억압을 중지해야 한다고 주장했습니다. 포이어바흐의 추종자들은 특정한 계급을 위한 것이 아닌, 진정한 사회주의를 위한 사회 개혁이 필요하다고 역설하면서 더욱더 정치적이고 혁명적인 사상을 발전시켰습니다.

▲ 포이어바흐

이러한 급진적 헤겔주의자들로 포이어바흐, 슈티르너(1806~1856), 마르크스

(1818~1883), 엥겔스(1820~1895)가 있습니다. 이 가운데서 가장 두각을 나타낸 사람은 마르크스입니다. 그는 《자본론》을 써서, 엥겔스와 함께 공산주의를 제창했습니다.

　마르크스는 헤겔 철학에서 가장 많은 것을 배워 가장 독자적인 철학과 사상으로 발전시켰습니다. 마르크스는 헤겔이 역사를 움직이는 힘은 절대정신이라고 한 것과는 근본적으로 다른 유물론적 입장에서, 역사는 물질적인 것에 의해 움직인다고 보았습니다. 다시 말하면 인간 정신이 물질을 지배하는 것이 아니고, 오히려 정신이 물질에 의해 결정되고, 인간의 삶은 물질적인 조건에 따라 달라진다는 것입니다. 따라서 마르크스는 헤겔이 말한 것처럼 역사를 이성이 지배하는 자유의 역사로 생각하지 않습니다. 마르크스는 '역사는 계급투쟁의 역사다.', '이제 철학의 중요한 문제는 세계를 개혁하는 일이다.'라고 말했습니다. 또한 종교는 마약이라고 주장하기도 했습니다. 그는 철학이 단지 말만 할 것이 아니라 직접 행동에 나서야 하며, 가장 억압받아온 노동자 계급이 해방되는 세상이 바로 자유가 진정 실현된 세상이라고 주장했습니다. 이러한 사상으로 마르크스는 세계에 가장 강력한 영향을 미친 사람 중의 한 사람이 되었으며, 많은 나라에서 그의 사상을 바탕으로 혁명이 일어났습니다.

　반면 헤겔 철학이 그리스도교 교의와 일치한다고 생각하는 제자들은 청년헤겔학파의 주장을 반박했습니다. 이들을 노(老)헤겔학파라고 부르는데, 이들은 헤겔 철학을 비판하는 것을 거부하고, 그것을 신봉하는 제자들로 가블러, 괴

▲ 쿠노 피셔

셜, 한릭스, 쿠노 피셔(1824~1907) 등이 있습니다.

　좌파적인 청년헤겔학파나 우파적 노(老)헤겔학파, 어느 쪽에도 속하지 않고 중도
적인 입장을 취한 제자들은 로젠크란츠(1805~1879), 에르트만(1805~1892), 첼러
등입니다. 이들은 헤겔 철학에서 종교적인 관심을 좇거나, 정치사회적인 의미에 큰
비중을 두지 않았습니다. 중도학파는 주로 철학사의 전개를 연구했습니다.

50

헤겔 역사철학 강의

심옥숙 글 | 배광선 그림

01 다음 중 《역사철학강의》를 쓴 철학자는 누구일까요?
① 칸트　　　　② 플라톤　　　　③ 헤겔
④ 로크　　　　⑤ 마르크스

02 《역사철학강의》 3장에 나오는 시계보다 더 정확한 독일 철학자의 이름은 무엇일까요?
① 루소　　　　② 아리스토텔레스　　　③ 헤겔
④ 칸트　　　　⑤ 사르트르

03 철학자 헤르더는 철학뿐만 아니라, 문학에도 큰 업적을 남겼습니다. 그래서 사람들은 헤르더를 '○○○○의 선구자'라고 말합니다. 다음 중 빈 칸에 맞는 말을 고르세요.
① 역사철학　　　　② 독일역사　　　　③ 문학운동
④ 민족사상　　　　⑤ 질풍노도

04 《역사철학강의》를 쓴 철학자는 역사를 지배하는 역사의 '주인'이 있다고 말했습니다. 그 역사의 주인은 무엇일까요?
① 인간　　② 이성　　③ 두뇌　　④ 마음　　⑤ 사랑

05 《역사철학강의》를 쓴 철학자는 군대를 끌고 독일을 공격한 프랑스 장군을 보고 큰 감동을 받아서 '나는 말 탄 세계정신이 군대를 사열하면서 도시를 통과하는 것을 보았소!'라고 외쳤습니다. 그 프랑스 장군은 누구일까요?

---

06 《역사철학강의》를 쓴 철학자가 1789년에 일어난 프랑스 혁명을 기념하기 위해서 '튀빙겐의 삼총사'라고 불렸던 다른 친구들과 한 일은 무엇일까요?

① 나무를 심고 춤을 추었다.

② 도서관에서 책을 읽었다.

③ 맥주를 마시면서 노래를 하였다.

④ 고향에 가족에게 편지를 썼다.

⑤ 기뻐서 눈물을 흘렸다.

07 다음 중 《역사철학강의》에서 말한 역사의 특징을 설명한 것으로 틀린 것을 고르세요.

① 역사는 같은 일을 반복하지 않는다.

② 역사에는 더 나은 쪽으로 발전하려는 의지가 들어 있지만, 자연은 이러한 의지가 없다.

③ 역사는 과거에 일어난 일들이다.

④ 역사는 기록한 것이다.

⑤ 역사는 왕의 행동을 기록한 것이다.

08 《역사철학강의》에 따르면 세계의 역사는 계속해서 그 중심지를 옮겨 가며 발전했다고 합니다. 순서가 옳은 것을 골라 보세요.

① 그리스 → 로마 → 독일 → 미국

② 고대 동양 → 그리스 → 로마 → 게르만

③ 바빌로니아 → 이집트 → 로마 → 영국

④ 고대 동양 → 로마제국 → 이탈리아 → 영국

⑤ 이집트 → 그리스 → 로마 → 이스라엘

09 《역사철학강의》 5장에서는 ○○이 아래와 같은 특징이 있다고 말합니다. 이것은 무엇일까요?

- ○○의 반대말은 물질이다.
- ○○은 물질과 달리 중력은 없지만, 활동한다.
- ○○은 언제나 자유를 원하며, 자유를 목표로 한다.

---

10 《역사철학강의》에 따르면 역사는 게르만에서 완성되었고, 그 증거로 게르만족의 ○○은(는) 다음과 같은 모습으로 나타납니다. 이것은 무엇일까요?

- ○○은(는) 헌법을 가진다.
- ○○은(는) 몇몇이 아니라, 모든 사람이 평등하게 자유를 누리도록 보장한다.
- ○○은(는) 모든 대립과 갈등을 극복하고, 이 ○○에 사는 모든 개인은 각자의 양심에 따라서 활동한다.
- 진정한 ○○은(는) 게르만족에 의해서 세워졌다.

통합교과학습의 기본은 세계사의 이해,
세계대역사 50사건

제대로 알차게 만든 교양 세계사 만화!
우리 집 최고의 종합 인문 교양서!

★서양사와 동양사를 21세기의 균형적 시각에서 다룬 최초의 역사 만화
★세계사의 핵심사건과 대표적 인물을 함께 소개해 세계사의 맥락을 짚어 주는 책
★시시각각 이슈가 되는 세계사 정보를 지식이 되게 하는 재미있는 대중 교양서

1. 파라오와 이집트
2. 마야와 잉카 문명
3. 춘추 전국 시대와 제자백가
4. 로마의 탄생과 포에니 전쟁
5. 석가모니와 불교의 발전
6. 그리스 철학의 황금시대
7. 페르시아 전쟁과 그리스의 번영
8. 알렉산드로스 대왕과 헬레니즘
9. 실크 로드와 동서 문명의 교류
10. 진시황제와 중국 통일
11. 카이사르와 로마 제국
12. 로마 제국의 황제들
13. 예수와 기독교의 시작

14. 무함마드와 이슬람 제국
15. 십자군 전쟁
16. 칭기즈 칸과 몽골 제국
17. 르네상스와 휴머니즘
18. 잔 다르크와 백년전쟁
19. 루터와 종교개혁
20. 코페르니쿠스와 과학 혁명
21. 동인도회사와 유럽 제국주의
22. 루이 14세와 절대왕정
23. 청교도 혁명과 명예혁명
24. 미국의 독립전쟁
25. 산업 혁명과 유럽의 근대화
26. 프랑스 대혁명

27. 나폴레옹과 프랑스 제1제정
28. 라틴 아메리카의 독립과 민주화
29. 빅토리아 여왕과 대영제국
30. 마르크스_레닌주의
31. 태평천국운동과 신해혁명
32. 비스마르크와 독일 제국의 흥망성쇠
33. 메이지 유신 일본의 근대화
34. 올림픽의 어제와 오늘
35. 양자역학과 현대과학
36. 아인슈타인과 상대성 원리
37. 간디와 사티아그라하
38. 마오쩌둥과 중국 공산당
39. 대공황 이후 세계 자본주의의 발전

40. 제2차 세계 대전
41. 태평양 전쟁과 경제대국 일본
42. 호찌민과 베트남 전쟁
43. 팔레스타인과 이스라엘의 분쟁
44. 넬슨 만델라와 인권운동
45. 카스트로와 쿠바 혁명
46. 아프리카의 독립과 민주화
47. 스푸트니크호와 우주 개발
48. 독일 통일과 소련의 붕괴
49. 유럽 통합의 역사와 미래
50. 신흥대국 중국과 동북공정
★가이드북

김창회 외 글 | 진선규 외 그림 | 232쪽 내외